APOLOGIE

DE LA

RÉVOLUTION FRANÇAISE,

ET DE SES ADMIRATEURS ANGLAIS.

APOLOGIE

DE LA

RÉVOLUTION FRANÇAISE,

ET DE SES ADMIRATEURS ANGLAIS,

*En réponse aux attaques d'*Edmund Burke;

Avec quelques remarques sur le dernier ouvrage de M. DE CALONNE.

PAR JACQUES MACKINTOSH:

Ouvrage traduit de l'Anglais sur la troisieme Edition.

A PARIS,

Chez F. Buisson, Libraire, rue Hautefeuille, N°. 20.

1792.

Bayerische
Staatsbibliothek
München

INTRODUCTION

DE L'AUTEUR ANGLAIS.

Les dernieres opinions de M. Burke ont causé plus d'étonnement aux personnes qui ne l'avoient observé que superficiellement, qu'à celles qui l'avoient suivi de près dans sa carriere politique. On avoit toujours compté au nombre des articles les plus sacrés de sa profession de foi une *horreur* pour la politique abstraite, une prédilection pour l'aristocratie, et une crainte excessive des innovations. Il n'étoit donc pas vraisemblable qu'il voulût, à son âge, renoncer à des opinions reçues de si bonne heure, et maintenues si longtems, confirmées par les applaudissemens des grands et l'assentiment des sages, qu'il avoit d'ailleurs enseignées à tant d'illustres éleves, et défendues contre tant d'adversaires distingués, pour adopter des nouveautés hardies. Les hommes qui parviennent de bonne heure à la célébrité, s'en

A

tiennent à leur premiere croyance. Ils négligent ensuite les progrès de l'esprit humain ; et lorsqu'ils les voient passer de la théorie à la pratique, comme dans les circonstances actuelles, ils les regardent comme des folies passageres , qui ne méritent que la pitié et la dérision. Ils les prennent pour les flots d'une mer agitée, dont l'enflure disparoîtra avec l'orage qui l'avoit fait naître. Ils ne sentent pas que c'est le courant de l'opinion humaine , *in omne volubilis œvum,* que le tems enfle graduellement, et qui est destiné à entraîner dans l'abîme de l'oubli la résistance savante de la sophistiquerie, et celle des puissans oppresseurs.

Il y a néanmoins quelque chose d'étonnant dans la philippique de M. Burke. On pouvoit bien croire qu'il eût blâmé les excès sanguinaires , qu'il se fût moqué de la politique chimérique, qui lui paroissoit ternir le lustre de la révolution, mais il n'étoit guere possible de s'imaginer qu'il eût épuisé, pour l'attaquer , les épithetes les plus injurieuses que l'indignation puisse suggérer ; que sa rage ne se fût jamais ralentie un seul instant, et qu'il n'eût point échappé à son cœur quelque foible marque de satisfaction pour la glorieuse délivrance d'un grand peuple. Tout fut accablé d'invectives ; — les auteurs et les admirateurs de la révolution —, tous ceux qui ne voulurent pas la détester, ses amis même les plus éclairés et les plus intelligens, furent dévoués à la haîne et à l'ignominie.

Son discours ne s'abaissa pas jusqu'aux argumens : — tout y fut dogmatique, et d'autorité ; la cause sembla décidée sans discussion, et l'anathème fut lancé avant l'examen.

On attendit cependant avec impatience un ouvrage annoncé quelque tems après, dans lequel on promettoit de démontrer les fondemens des opinions soutenues dans ce célebre discours, qui, si l'on en croit un journaliste étranger, doit faire époque dans l'histoire des extravagances de l'esprit humain. Le nom de l'auteur, l'importance du sujet, et la singularité de ses opinions, tout contribuoit à exciter la curiosité du public, qui souffrit beaucoup du délai, mais qui vient d'être satisfait par l'émission de cet ouvrage, et

qui sera bien dédommagé de ses peines,
s'il en fait la lecture.

C'est certainement une oeuvre qui exige
les plus grands efforts des plus habiles
critiques, pour être appréciée à sa juste
valeur. « Nous ne pouvons guère trop la
» louer, ou trop la blâmer ». Des argumens,
toujours adroits et spécieux, quelquefois
sérieux et profonds, parés des images les
plus brillantes et les plus variées, et soutenus des descriptions les plus pathéti-
ques et les plus pittoresques, démontrent
la richesse et les pouvoirs de ce génie,
dont l'âge n'a pu ni obscurcir le discernement, ni affoiblir l'imagination, ni re-
froidir l'ardeur, ni réprimer l'essor. Des
louanges exagérées de la politesse, et des
harangues incendiaires contre la violence ;
des homélies mystiques de morale, et de
religion, plus propres à amuser qu'à convaincre un siecle incrédule, ne sauroient
jamais mériter l'approbation de l'entendement, quoiqu'elles puissent servir à réveil-
ler l'attention.

Il parle du sénat et du peuple français,
comme on auroit dû s'y attendre, puisque son imagination avoit peuplé la

France de conspirations, d'assassinats, de massacres, et de toute la race des chimeres épouvantables, qui sont les fruits d'une imagination fertile , aidée d'une extrême sensibilité. Les rayons de bienveillance, qui percent quelquefois à travers cet épais tableau d'invectives , ne proviennent que d'une illusion généreuse, d'une compassion trompée et mal appliquée. — Son éloquence n'a pas le loisir de déplorer le sort d'artisans réduits à la mendicité , de paysans qui meurent de faim , ni des victimes de la suspension de l'industrie et de la langueur du commerce. Sa sensibilité , paroissant dédaigner les miseres communes du vulgaire , n'est émue que par les chagrins pompeux de la royauté, et se trouve aux abois, à la moindre angoisse qui attaque le coeur de la folie ou de la prostitution , lorsque la fortune les a placées sur un trône.

Le langage dont il se sert envers les Anglais, amis de la révolution française , est méprisant et peu généreux. Sur la fin d'un de ses accès, il semble disposé à ne point douter « de leurs bonnes in» tentions ». Mais il abonde en saillies immodérées, en insinuations malicieuses, que la sagesse auroit dû réprimer, comme des ébullitions de passion, peu faites pour servir au génie, d'armes de controverse.

L'ordre de son ouvrage est aussi singulier que la matiere. Profitant de tous les priviléges de l'épître, dans leur plus grande étendue, il interrompt, quitte et reprend à volonté un argument. Son sujet est aussi vaste que la science de la politique. — Ses allusions et ses digressions parcourent, pour ainsi dire, toutes les régions des connoissances humaines. Il faut avouer qu'à cette maniere de guerroyer, un homme de génie a un avantage infini sur les hommes ordinaires. Il peut couvrir la retraite la plus ignominieuse d'une allusion brillante; il peut, en habile général, faire parade de ses argumens, lorsqu'ils ont de l'énergie; il peut s'échapper d'une position peu tenable, par une déclamation pompeuse; il peut sapper la conviction la plus imprenable par du pathos, et mettre en fuite une armée de syllogismes par un ridicule. Indépendant des lois ordinaires de la méthode, il peut faire avancer un groupe d'horreurs éclatantes, pour faire une brêche dans **nos** coeurs, par laquelle la canaille la plus indisciplinée d'argumens peut entrer en triomphe.

L'analyse et la méthode, comme la discipline et l'armure chez les nations modernes, corrigent, en quelque sorte, les inégalités de la controverse, èt font combattre à armes égales le géant et le nain, dans le champ de la raison. Analysons donc l'ouvrage de M. Burke; et en retranchant ce qui ne sert que d'ornement, nous découvrirons certaines questions principales, *dont la décision* est indispensable pour terminer la discussion dont il s'agit.

L'ordre naturel des événemens nous donnera la maniere de répondre. M. Burke, profitant du terme équivoque et indéfini de révolution, a entierement blâmé cet acte. C'est pourquoi la premiere question qui se présente regarde la convenance et la nécessité d'une révolution en France. — Cela est suivi de la discussion sur la formation et la conduite de l'assemblée nationale, des excès populaires qui ont accompagné la révolution, et de la nouvelle constitution, qui en est le ré.

sultat. La conduite de ses admirateurs anglais forme la derniere question , quoique , par une inversion de rhétorique , M. Burke l'ait traitée la premiere , comme s'il étoit possible de déterminer la propriété de l'approbation avant d'avoir décidé du mérite ou du démérite de l'objet approuvé. En conséquence de cette analyse , les sections suivantes formeront l'objet de notre réfutation.

Section I. *Convenance générale et nécescessité d'une révolution en France.*

Sect. II. *Considérations sur la formation et le caractere de l'assemblée nationale.*

Sect. III. *Sur les excès populaires qui ont accompagné et suivi la révolution.*

Sect. IV. *Sur la nouvelle constitution française.*

Sect. V. *Justification de la conduite de ses admirateurs anglais.*

A cette réplique à M. Burke , nous joindrons quelques essais sur la derniere production de M. de Calonne. Ce ministre , qui offre depuis quelque tems aux yeux de l'Europe indignée le spectacle d'un déprédateur exilé, vivant dans l'impunité la plus splendide, a, dans son ouvrage, avec une effronterie qui est au-dessus de toute invective, pris le ton du patriotisme affligé, et délivré ses philippiques prostituées, comme les oracles de la vertu persécutée.

Son ouvrage est plus méthodique que celui de son collégue, M. Burke (1). On peut remarquer que ses calculs de finances, dans un livre où il affiche la popularité, donnent de violens soupçons de fraude. Leur longueur et leur difficulté *semblent vouloir extorquer l'assentiment de l'indolence du public*; car on aime mieux y ajouter foi, que de les

______

(1) On ne sauroit nier que l'ouvrage de M. de Calonne ne soit élégant, plein de sagacité, « et assurément fort instructif, quant à ce qui regarde son caractere et ses desseins; mais il démontre une si grande ignorance de l'histoire, que je ne puis m'empêcher d'en relever une erreur. — Dans sa longue discussion sur les prétentions de l'assemblée au titre de convention nationale, il prétend que ce mot vient d'Ecosse; et il nous dit, pag. 328 : « On lui donna le nom de convention écossaise; le résultat de ses délibérations fut appelé *covenant*, et ceux qui l'avoient souscrit, ou qui y adhéroient, *covenanters* ».

examiner. Ses conséquences sont si incroyables, que la plupart des gens sensés
trouveront plus sûr de s'en rapporter tout
simplement à leurs propres conclusions ,
que de s'engager dans ce labyrinthe de sophistiquerie financiere.

La seule partie de son livre , digne de
réplique , est celle qui traite des questions générales de politique. On trouvera,
selon l'ordre des sections ci-devant mentionnées, des remarques sur ce qu'il a
dit sur ce sujet. Cette production ne peut
être regardée ni comme un ouvrage de
littérature, ni comme un ouvrage profond. Il s'en rapporte à des jugemens plus
décisifs que ceux de la critique ; et il
tend à agiter des armes plus formidables
que celles de la logique.

C'est un manifeste de contre-révolution ,
et son objet évident est d'irriter toutes les
passions et tous les intérêts réels ou sup-
posés , qui ont reçu quelque échec par
l'établissement de la liberté. Il sonde les
blessures encore saignantes des princes ,
de la noblesse, du clergé et des parlemens. Il somme un corps par la dégrada-
tion de sa dignité, un autre par le pillage

de son héritage , et un troisieme par la destruction de son autorité, de joindre la sainte banniere de sa croisade philantropique. Certain de la protection de tous les monarques de l'Europe qu'il alarme sur la sûreté de leurs trônes, et assuré de la modération d'une populace fanatique , en lui apprenant le *cri de guerre* sauvage de l'athéisme, il s'imagine déjà être en marche vers Paris, non pas pour rétablir le despotisme du trône, (car il désavoue tout projet semblable : et qui ne se fieroit pas à un désaveu si vertueux *!*) mais, à la tête de cette armée de prêtres, de mercenaires et de fanatiques, pour dicter, comme le génie tutélaire de la France, l'établissement d'une liberté juste et modérée, acquise sans commotion et sans carnage , et également contraire à l'ambition intéressée des démagogues, et à l'autorité illégale des rois.

Les croisades étoient des effervescences de chevalerie, et notre moderne S. François a un chevalier pour conduire ses croisés ; ce qui doit convaincre M. Burke que le siecle de la chevalerie n'est pas passé, et que la gloire de l'Europe n'est pas anéantie pour toujours. Le comte d'Artois (1), ce digne rejeton du grand Henri, émule des Bayard et des Sidney, nouveau modele de la chevalerie française, doit partir de Turin avec dix mille chevaliers, pour délivrer la sans-pareille et immaculée Antoinette d'Autriche de la dure captivité où elle a été si long-tems tenue dans les murs des Tuileries, et pour la soustraire aux armes des chevaliers peu courtois de Paris, et aux enchantemens de ces sombres magiciens de la démocratie.

---

(1) *Ce digne rejeton du grand Henri.* — Calonne, pag. 413. *Un nouveau modele de la chevalerie française.* Ibid. pag. 114.

APOLOGIE

DE LA CONSTITUTION FRANÇAISE.

SECTION PREMIERE.

Convenance générale et nécessité d'une révolution en France.

M. BURKE a dit, dans plusieurs passages de son ouvrage, sans y mettre néanmoins cette précision qu'exigeoit l'importance de cette assertion, que la *révolution française* étoit, non seulement répréhensible dans ses parties, mais qu'elle étoit en tout absurde, peu convenable et injuste ; cependant il ne nous a nulle part informé de ce qu'il entendoit par ces expressions. On prendroit peut - être , en Angleterre, pour la révolution française , dans le sens le plus vulgaire, ces événemens brillans qui formerent la premiere partie de son extérieur : tels que la révolte des Parisiens, la prise de la bastille, et la soumission du roi. Mais ces événe-

mens mémorables , quoiqu'ils servissent
à maintenir et à accélérer la révolution ;
ne pouvoient pas effectuer une révolution
politique. Ce doit avoir été un changement
de gouvernement, mais même, avec cette
restriction , le mot révolution est équivoque et vague.

Il est susceptible de *trois* sens. Lorsque
le roi reconnut les droits des Etats généraux à prendre part à la législation , ce
fut véritablement un changement dans le
gouvernement de France , où les pouvoirs législatif et exécutif avoient été , pendant près de deux siecles , sans la moindre
interruption, entre les mains du monarque. Dans ce sens , la révolution date du
moment de l'assemblée des Etats généraux ,
et conséquemment du 5 mai. La réunion
des trois ordres est un changement beaucoup plus important dans la forme et dans
l'esprit de la législature. On peut aussi
appeler cette réunion la révolution , et
son époque sera au 23 juin. Ce corps
réuni fait une nouvelle constitution. Cela
peut encore s'appeler une révolution , parce
que c'est le plus important de tous les
changemens politiques, et son époque sera

au moment où l'assemblé nationale a terminé ses travaux.

La teneur des expressions de M. Burke est aussi équivoque. Pour les rendre plus claires, il sera nécessaire de jeter un coup-d'oeil rapide sur tous ces événemens. Cela sera aussi la réfutation la plus juste et la plus incontestable de ses argumens. Cela démontrera plus évidemment la nécessité et la justice de tous les changemens successifs dans la monarchie française, qui formerent ensemble cette masse variée que l'on appelle *la révolution*. Cela fera voir la différence des actes du corps législatif, *et des excès* populaires, d'un désordre passager, et d'un établissement permanent. Cela montrera la futilité et la fausseté d'attribuer à la conspiration de quelques individus, ou de quelques corps, une révolution qui, soit qu'elle soit avantageuse ou nuisible, fut produite par des causes générales, où le particulier le plus distingué n'eut que très-peu d'influence.

La constitution française ressembloit, dans son origine, aux autres gouvernemens gothiques de l'Europe. L'histoire de sa décadence et de son extinction est assez

connue. Son enfance et sa jeunesse furent
à peu près comme celles du gouvernement
anglais. Le *Champ de Mars* et le *Witte-
nagemot*, les assemblées tumultueuses de
rudes conquérans, furent, dans les deux
pays, transformées graduellement en corps
de représentans. Mais la chute de l'aristocratie féodale, arrivant en France avant que
le commerce eût donné de l'importance à
aucune autre classe de citoyens, son pouvoir passa à la couronne. Depuis la fin
du quinzieme siecle, les pouvoirs des Etats
généraux n'étoient plus que de simples
formalités. Leur tenue momentanée, sous
Henri III et sous Louis XIII, ne servit
qu'à rendre plus visible leur peu d'importance. Leur anéantissement succéda bientôt
après.

Il n'étoit pas vraisemblable qu'on eût
toléré la voix du peuple sous le regne de
Louis XIV ; regne si souvent célébré,
comme le zenith des exploits militaires et
de la littérature, mais qui a toujours été
à mes yeux le comble de ce qu'il y a d'af-
fligeant et d'humiliant dans l'histoire du
genre humain. Sous ce regne, le talent
paroissoit privé de ce sentiment d'élévation,

tion, et de ce port mâle et imposant, qui sont ses plus nobles associés, et ses indices les plus certains. La douce candeur de Fénélon (1), l'esprit élevé de Bossuet, la fermeté mâle de Boileau, la ferveur sublime de Corneille, ont une teinte de cette servitude ignominieuse. Il sembloit que « la majesté *représentative* » du génie et de l'entendement de l'homme fût prosternée devant l'autel d'un tyran sanguinaire et débauché, qui pratiquoit la corruption des cours, sans faire usage de leur douceur, et qui encouroit le crime des guerres, sans en acquérir la gloire. Son plus grand mérite est d'avoir bien soutenu le rôle de roi; et il est vraiment difficile de concevoir un caractere plus odieux et plus méprisable que celui d'un libertin efféminé, qui, sous la direction d'une catin, ou d'un moine, donne des ordres pour massacrer des citoyens vertueux, pour ravager des hameaux paisibles, et pour arracher des larmes ameres à la veuve et à l'orphelin. L'héroïsme a un éclat qui

____

(1) Et Cambrai méritant un sort bien plus heureux
De Louis et de ROME, esclave vertueux.

B.

expie, en quelque sorte, ses excès. Mais que peut-on penser d'un homme qui, du milieu des plaisirs, et au sein d'une molle et honteuse volupté, dicte, à Versailles, avec un calme et une apathie cruels, des ordres pour massacrer les protestans du Languedoc, ou pour réduire en cendres les villages du Palatinat ? Lorsque je me rappelle de semblables scenes, comme littérateur, je rougis pour la prostitution des lettres ; et comme homme, j'ai honte de l'extrême patience du genre humain.

Mais le despotisme de ce regne engendroit les grands événemens, qui ont distingué notre siecle. Il alimentoit cette littérature, qui étoit un jour destinée à le détruire. Ses conquêtes injustes ont heureusement tourné à l'avantage de l'humanité, et les usurpations de Louis XIV ont servi à augmenter le nombre des hommes libres. Le regne suivant offrit le même système de politique. La rage des conquêtes, réprimée pendant un tems par le despotisme pacifique de Fleury, se renouvela avec plus de force vers la fin du regne de Louis XV. La France, également épuisée par les malheurs d'une

guerre , et les victoires d'une autre , gé-
missait sous le poids d'une dette et d'un
impôt, qu'il étoit aussi difficile de payer,
que de soutenir. Tous les expédiens avoient
successivement été mis en usage par les
ministres , pour éloigner la grande crise ,
dans laquelle le crédit et le pouvoir du
gouvernement devoient périr.

La sage et bienfaisante administration
de M. Turgot, quoiqu'assez longue pour
sa gloire, fut trop courte , et commença
peut - être *trop tôt* , pour effectuer ces
grandes réformes que son génie avoit con-
çues. L'aspect de l'honnêteté et des talens
causa de vives alarmes aux favoris de la
cour , et ils n'eurent pas de peine à en
faire chasser des intrus si rares et si incom-
modes.

L'ambition magnifique de M. de Vergennes , la carriere brillante , prodigue et
rapace de M. de Calonne , la violence
foible et irrésolue de M. de Brienne , con-
tribuerent toutes à accroître l'embarras
des finances. Le *déficit* s'éleva finalement
à 115 millions par année (1) C'étoit une

---

(1) Nous avons là-dessus l'autorité de M. Calonne.

disproportion entre la recette et la dépense qu'aucun gouvernement ni aucun
individu ne pouvoit long - tems soutenir.

Dans ces circonstances , il ne restoit
plus d'autre expédient que de faire ga-
rantir le crédit perdu du despotisme, par
la sanction de la nation. Assembler les Etats
généraux étoit une méthode dangereuse
pour obtenir cette garantie. C'est pourquoi on eut recours aux *notables* ; méthode bien connue dans l'histoire de
France, par laquelle le roi assembloit un
certain nombre d'individus , choisis à sa
volonté, pour le conseiller dans les occasions difficiles. C'étoit à peu près un conseil privé populaire. Ceux qui le composoient n'étoient ni reconnus , ni protégés
par la loi : leur existence précaire et subordonnée dépendoit d'un seul signe du despotisme.

---

lui-même. Voyez son dernier ouvrage , pag. 56. Ce
fut le compte présenté aux notables , en avril 1787.
Il a fait , à la vérité , quelque déduction , parce qu'une
partie de *ce déficit* ne devoit pas continuer. Mais cela
ne fait rien à notre objet, qui est d'examiner l'influence
des besoins *actuels*, l'état politique , et non l'état finan-
cier de la question.

Ils furent assemblés par M. de Calonne, qui a aujourd'hui l'arrogance de vanter les plans qu'il avoit mis devant eux, comme les modeles de l'assemblée qu'il attaque. Il proposa, il est vrai, l'égalité des impôts, et l'abolition des priviléges pécuniaires de la noblesse et du clergé ; mais la différence entre son systême et celui de l'assemblée nationale, est uniquement ce qui distingue les actions des hommes, d'avec *leurs fins*. Il auroit voulu détruire les ordres privilégiés, comme des obstacles au despotisme. Les représentans du peuple les ont détruits, parce qu'ils nuisoient à la liberté. L'objet de son plan étoit de favoriser l'oppression du fisc. *Leur* motif est d'affermir la liberté générale. *Ils* ont rendu tous les français égaux, comme hommes. — *Il* auroit voulu les rendre égaux, comme esclaves.

L'assemblée des notables ne tarda cependant pas à donner une preuve mémorable du danger que font courir au despotisme toutes les assemblées publiques, quand même elles ne seroient pas revêtues de pouvoirs légaux. M. de Calonne avoit appelé les notables pour admirer la plausibílité et la. splendeur de ses spéculations, et pour voiler l'étendue et l'atrocité de ses rapines. Mais la fausseté des unes et l'énormité des autres furent aisément découvertes. D'illustres orateurs, qui ont depuis fait briller leurs talens dans un endroit plus favorable, dans une assemblée plus libre et plus puissante, dévoilerent ce déprédateur aux notables. Détesté de la noblesse et du clergé, dont il avoit voulu abolir les priviléges; ayant perdu la faveur de la reine, par son attaque contre un de ses favoris (*Breteuil*); exposé à la fureur du peuple, et appréhendant des poursuites judiciaires, il se hâta de se réfugier en Angleterre, sans emporter le souvenir d'aucune vertu, ou les applaudissemens d'aucun parti, pour le consoler dans sa retraite.

C'est ainsi que les notables détruisirent leur créateur. Un observateur superficiel n'apperçut dans sa chute que très-peu de chose ; mais un homme de discernement vit bien que tout étoit fait ; car l'autorité détrônée de l'opinion publique étoit rétablie. Les ministres qui lui succéderent, au lieu de profiter de l'exemple de leurs prédécesseurs, d'avoir égard à la ruine du crédit public, et à la fermentation du peuple, hasarderent des mesures beaucoup plus précaires et plus dangereuses. L'usurpation d'une portion de la souveraineté, par le parlement de Paris, étoit devenue populaire et respectable, parce que son but étoit utile, et parce que l'exercice qu'il en faisoit étoit vertueux. — Ce corps avoit, comme l'on sait, réclamé un droit qui effectivement équivaloit à une négative sur les actes du roi. Il prétendoit qu'il étoit nécessaire qu'il enregistrât les édits du monarque, pour qu'ils eussent force de loi. Il auroit, en ce cas-là, possédé la même portion du pouvoir législatif que le roi d'Angleterre.

Il est inutile de s'étendre sur la fausseté historique, et sur le peu de convenance politique d'une doctrine qui auroit accordé à une petite aristocratie de gens de loi, qui achetoient leurs places, des pouvoirs aussi étendus. On ne sauroit nier que sa résistance avoit été souvent salutaire, et étoit un foible rempart contre les extorsions capricieuses du pouvoir arbitraire. — Mais la témérité du ministre lui fit jouer un rôle plus important. Le parlement refusa d'enregistrer deux édits pour l'augmentation des impôts. Il soutint que le pouvoir d'imposer n'appartenoit qu'aux représentans de la nation, et demanda la convocation immédiate des Etats généraux. Le ministre l'exila à Troies. Mais il ne tarda pas à s'appercevoir que les Français n'étoient plus ce peuple abject et frivole, qui avoit si souvent enduré l'exil de ses magistrats. Paris offrit bientôt le tableau du tumulte et des clameurs d'une populace anglaise.

Le cabinet, qui ne pouvoit ni avancer ni reculer avec sûreté, eut recours à un enregistrement forcé. Le duc d'Orléans, et les magistrats qui protesterent contre cette exécrable tyrannie, furent ou exilés ou emprisonnés. Mais tous ces expédiens usés du despotisme furent inutiles. Ces efforts, qui ne méritent d'être rappelés, que pour montrer les progrès de la force de l'opinion publique, furent suivis par des événemens encore moins équivoques. On émit des lettres de cachet contre MM. d'Eprémesnil et Goeslard. Ils se réfugierent dans le sanctuaire de la justice, et

le parlement les déclara sous la sauve-
garde de la loi et du roi. On envoya une
députation à Versailles , pour prier sa
majesté de vouloir bien écouter de sages
conseils. Paris attendoit avec l'impatience
de la sollicitude le résultat de cette députation ; lorsque , vers les minuits , un
corps de 2000 hommes s'avança vers le
palais , où siégeoit le parlement, et l'in-
vestit. Leur commandant entra dans la
cour des pairs , et demanda ses victimes.
On lui répondit , d'une voix unanime :
« Nous sommes tous d'*Eprémesnil* et *Goeslard !* ». Ces deux magistrats se rendirent , et le satellite du despotisme les
emmena en triomphe , au milieu des exé-
crations d'un peuple indigné.

Ces *spectacles* ne furent pas sans effets.
L'esprit de résistance se répandit journellement dans toute la France. La com-
mission intermédiaire des Etats de Bretagne , les Etats du Dauphiné , et plusieurs
autres corps publics , commencèrent à
prendre un ton nouveau et imposant. Le
cabinet fut dissout par sa propre foiblesse,
et M. Necker rappelé. Ce ministre , probablement integre , et peut-être libéral ,

mais petit, pusillanime et circonscrit par l'habitude du détail (1), dans lequel il avoit été élevé, ne possédoit pas cet esprit élevé et intrépide, ces vues grandes et originales, qui peuvent s'adapter à une nouvelle combinaison de circonstances, et dominer dans les grandes convulsions des affaires humaines. Accoutumé à l'exactitude tranquille du commerce, ou aux amusemens élégans de la littérature, « on » l'appela, au milieu de l'ouragan, pour » diriger la tempête ». Il parut supérieur à l'état de simple particulier, tant qu'il y fut restreint : et l'histoire l'auroit jugé digne de son élévation, s'il n'avoit jamais été élevé (2). Il est vrai que la réputa-

---

(1) Le célebre docteur Adam Smith avoit toujours eu cette opinion de Necker, qu'il avoit intimément connu lorsqu'il étoit banquier à Paris. Il avoit prédit la chute de sa réputation, lorsque ses talens seroient mis à l'épreuve, et avoit toujours dit avec emphase, « Ce n'est qu'un homme de détail ». Lorsque l'on vanta beaucoup les connoissances de commerce de M. Eden, depuis lord Auckland, le docteur Smith en dit autant de lui.

(2) *Major privato visus dum privatus fuit et omnium consensu capax imperii nisi imperasset.* Tacite.

tion de très-peu de personnes a été mise à une pareille épreuve ; et un observateur généreux est enclin à scruter avec moins de rigueur les prétentions d'un homme d'Etat, qui s'est retiré sans être applaudi par aucun parti, détesté par l'aristocratie, comme l'instrument de sa ruine, et méprisé par les chefs de la démocratie, à cause de sa politique pusillanime et incertaine.

Mais quand le caractere de M. Necker auroit eu plus d'originalité, et eût été plus décidé, il ne pouvoit pas avoir beaucoup d'influence sur la destinée de la France. Les esprits avoient reçu une impulsion ; l'assistance ou l'opposition individuelle étoit également inutile. Ses vues ne s'étendoient sans doute qu'à pallier ; mais il se trouvoit entraîné par un torrent d'opinions et d'événemens qu'aucune force ne pouvoit arrêter, et dont aucune sagesse humaine ne pouvoit prédire le terme. Il est représenté par M. de Calonne comme le lord Sunderland de Louis XVI, séduisant le roi, pour détruire son autorité. Mais il n'avoit ni assez de génie, ni assez de hardiesse pour un pareil projet.

Pour en revenir à notre coup - d'oeil
rapide, — l'automne de 1788 fut particulierement remarquable par le patriotisme éclairé et pur des Etats du Dauphiné.
Ils fournirent, à plusieurs égards, un modele pour le sénat de France. Ils délibé-
rerent, comme lui, au milieu des terreurs
de la vengeance ministérielle, et des exé-
cutions militaires. Ils anéantirent la distinction absurde des ordres, se fondirent
en assemblée provinciale, et déclarerent
que le droit d'imposer des taxes résidoit,
en derniere analyse, dans les Etats généraux de France. Ils voterent une députation au roi, pour solliciter la convocation
de cette assemblée. Ils furent imités avec
ardeur par toutes les provinces, qui re-
tenoient encore l'ombre d'Etats provinciaux. Les Etats de Languedoc, de Vélay,
et du Vivarais, le tiers-état de Provence
ct toutes les municipalités de Bretagne,
adopterent de semblables résolutions. En
Provence et en Bretagne, où les nobles
et les prêtres, tremblans pour leurs priviléges, opposerent une foible résistance,
la fermentation fut singulierement grande.
On peut juger de l'effervescence du peu-

ple par la réception du comte de Mirabeau dans la province où il avoit pris
naissance : les bourgeois d'*Aix* lui assi-
gnerent une garde ; les citoyens de Marseille le couronnerent sur le théâtre ; et,
au milieu de toutes les terreurs du despotisme, il reçut des preuves aussi nombreuses et aussi tumultueuses d'attache-
ment que l'enthousiasme du peuple le
plus libre ait jamais accordées à ses favoris. M. Caraman, gouverneur de Provence,
fut même obligé d'implorer son interposition auprès de la populace, pour ap-
paiser et prévenir les excès. La contestation fut plus violente et plus sanguinaire
en Bretagne. Ce pays avoit conservé un
plus grand degré d'indépendance qu'aucune des provinces qui avoient été réunies
à la couronne de France. La noblesse et
le clergé possédoient presque tout le pouvoir des Etats ; et leur opiniâtreté fut si
grande, que leurs députés ne prirent séance
à l'assemblée nationale que lorsque ses
opérations furent bien avancées.

Le retour de M. Necker, et le rappel
des magistrats exilés, rétablirent un calme
momentané. La réputation de la probité

du ministre ranima le crédit de la France.
Mais le désordre des finances étoit trop
grand pour admettre des palliatifs ; et
l'idée enchanteresse des Etats généraux,
présentée à l'imagination publique par le
zele indiscret du parlement, réveilloit le
souvenir de l'ancienne liberté, et offroit
une perspective de splendeur que la vertu
ou la popularité d'aucun ministre ne pouvoit effacer. Leur convocation fut donc
déterminée. — Mais il restoit bien des difficultés à résoudre touchant le mode d'é-
lection, et la maniere de les constituer. Une
seconde assemblée des notables fut chargée
de statuer sur ce point.

Le tiers-état demanda des représentans
en nombre égal à ceux des deux autres
ordres réunis. Il vouloit que le nombre de
représentans fût réglé par la population
des districts, et que les trois ordres votas-
sent dans la même chambre. Tous les co-
mités, ou bureaux des notables, excepté
celui dont Monsieur étoit président,
déciderent contre le tiers-état sur tous ces
points. Ils furent vigoureusement soutenus par le parlement de Paris, qui,
s'appercevant, trop tard, de la ruine où

il avoit été entraîné, travailloit à rendre l'assemblée impuissante, lorsqu'il ne put plus empêcher sa convocation. Mais ses efforts furent inutiles. M. Necker, soit qu'il fût mû par le respect de la justice, ou par l'ambition de la popularité, ou qu'il cédât au torrent irrésistible de l'opinion publique, conseilla au roi d'accorder les deux premieres propositions du *tiers-état*, et de laisser la troisieme à la décision des Etats généraux mêmes.

En conséquence, le 24 janvier 1789, on émit des lettres patentes pour la convocation des états généraux (1), auxquelles on joignit des réglemens pour le détail de leurs élections. Dans les assemblées primaires des différentes provinces et des différens bailliages du royaume, les progrès de l'esprit public devinrent plus évidens. On ne peut point nier que le clergé et la noblesse ne se soient empressés à l'envi de faire le sacrifice de leurs priviléges pécuniaires. Les instructions données aux représentans respiroient par-tout un esprit

____

(1) Lettre du roi pour la convocation des états généraux, et réglement pour l'exécution des lettres de convocation. Donné le 24 janvier 1789.

de liberté aussi ardent, quoique pas si éclairé que celui qui a depuis présidé aux délibérations de l'assemblée nationale. Paris se distingua. La réunion des talens, la communication rapide des pensées, et la fréquentation de ces assemblées nombreuses, où les hommes apprennent leur force, et comparent leurs griefs (1), font toujours d'une grande capitale le coeur d'où sortent les émotions et les opinions qui circulent jusqu'aux extrémités de l'empire. La convocation des Etats généraux ne fut pas plutôt annoncée, que les batteries de la presse s'ouvrirent. Les pamphlets se succéderent sans intermission, se surpassant toujours en hardiesse et en élévation; et les progrès de Paris, vers la lumiere et la liberté, furent plus grands en trois mois, qu'ils ne l'avoient été en autant de siecles

On adopta universellement, en mai, une doctrine (2) qui, en janvier, auroit

____

(1) *Conferre injurias et interpretando accendere.* Tacit.

(1) Les principes de liberté étoient bien entendus depuis long - tems, et peut-être mieux que dans aucun autre pays du monde, par les philosophes de France.

été

été traitée de trahison, et qui, en mars, auroit été regardée comme les rêves de quelques fanatiques trompés.

Ce fut au milieu de cette effusion rapide de lumieres, et de cette ferveur toujours croissante de l'opinion publique, que les Etats généraux de France s'assemblerent à Versailles le 5 mai 1789 ; jour que la postérité regardera peut-être comme l'un des plus mémorables des annales du monde. Des détails sur la parade et le cérémonial de leur assemblée, seroient tout-à-fait étrangers à mon objet, qui n'est pas de raconter des événemens, mais d'en saisir l'esprit, et d'en marquer l'influence sur les progrès politiques dont la révolution devoit naître. Les opérations préliminaires, nécessaires pour constituer l'assemblée, donnerent lieu à la premiere grande question — Le mode de vérifier les pouvoirs

---

Il étoit aussi naturel qu'ils fussent cultivés avec plus de soin dans ce royaume qu'en Angleterre, qu'il est ordinaire que la science de la médecine soit moins bien entendue chez les peuples simples et vigoureux, que chez les nations luxurieuses et effeminées. Mais les progrès dont nous avons fait mention eurent lieu dans la classe la moins instruite de la société.

C

des députés. Il fut soutenu par le clergé et la noblesse , que , selon l'ancien usage , chaque ordre devoit scruter et vérifier séparément les pouvoirs de ses députés. Le tiers - état dit , de son côté , que , selon des principes généraux, tous les ordres ayant un intérêt égal à ce que les représentans de la nation fussent purs , ils avoient un droit égal à participer à la vérification de leurs pouvoirs , et à les scruter en commun. Quant à l'autorité fondée sur l'usage , on répondit qu'elle prouveroit trop ; car , dans les anciens Etats généraux, l'examen de leurs pouvoirs avoit été soumis à des commissaires du roi : assujettissement trop humiliant et trop injurieux pour être adopté dans ce siecle de lumieres. Cette controverse en fit naître une autre d'une plus grande importance. Si les ordres se réunissoient pour cette vérification, ils pourroient continuer dans une seule chambre ; les voix séparées des deux premiers ordres deviendroient nulles , et l'importance de la noblesse et du clergé seroit réduite à leur simple suffrage par tête.

Cette grande révolution avoit évidem-

ment été préméditée par les chefs du tiers-
état. Ils furent secondés, dans la chambre
de la noblesse, par une minorité éminemment distinguée par le rang, le caractere
et les talens. La partie obscure et utile du
clergé étoit, par sa situation, portée à
des sentimens populaires, et se coalisa
naturellement avec les communes. Plusieurs personnes qui désiroient la *division*
du corps législatif dans tout autre cas,
étoient convaincues que les grandes réformes qu'exigeoit la situation actuelle de
la France, ne pouvoient s'effectuer que
par la réunion des trois ordres (1). Il y

---

(1) « Il n'est pas douteux que, pour aujourd'hui,
» que pour cette premiere tenue, une CHAMBRE UNIQUE
» n'ait été préférable, et peut - être *nécessaire*. Il y
» avoit tant de préjugés à vaincre, tant de sacrifices
» à faire, de si vielles habitudes à déraciner, une puis-
» sance si forte à contenir, en un mot, tant à détruire,
» *et presque tout à créer* ». — « Ce nouvel ordre de
» choses que vous avez fait éclore, tout cela, vous
» en êtes bien sûrs, n'a jamais pu naître que de la réu-
» nion de toutes les personnes, de tous les sentimens
» et de tous les cœurs ». — *Discours de M. Lally-
Tolendahl à l'assemblee nationale, le 31 août 1789,
dans ses pieces justificatives, pag.* 105 —6. — Ce

avoit tant de préjugés à vaincre , tant de
difficultés à surmonter, de si vieilles habitudes à déraciner , une puissance si
forte à contenir, qu'il étoit de nécessité
absolue de concentrer la force du corps
réformateur. Dans une grande révolution ,
tout doit tendre à faciliter les changemens. Dans un gouvernement établi, tout
doit les rendre difficiles. De-là il s'ensuit
que la division du corps législatif, qui ,
dans un gouvernement établi, peut être
utile au maintien des lois , doit , dans un
moment de révolution , être proportionné-
ment nuisible , en donnant de la force
aux abus, et en énervant les moyens de
réforme. Dans une révolution , les ennemis de la liberté sont des externes, contre
lesquels il faut réunir tous les pouvoirs.
Dans un gouvernement établi , ses ennemis sont internes : c'est pourquoi il faut
diviser les pouvoirs.

---

passage est remarquable sous plus d'un rapport. Il
démontre pleinement la conviction où étoit l'auteur
qu'il falloit faire des changemens assez grands pour
mériter le nom d'une RÉVOLUTION ; et considérant le
respect qu'a M. Burke pour son autorité , il doit être
de quelque poids auprès de lui.

Mais outre ces considérations générales, l'état de la France en fournissoit d'autres plus justes et plus raisonnables. Les Etats généraux, en votant par ordre, ne pouvoient effectuer aucune réforme essentielle. Les deux premiers ordres étoient intéressés à perpétuer les abus qu'il étoit question de réformer. S'ils avoient conservé deux voix égales et indépendantes, tous les efforts des communes auroient été inutiles; et une collusion entre la couronne et l'assemblée, auroit probablement limité ses réformes illusoires à quelques *méchans* palliatifs, pour *prix* de sa condescendance à rétablir l'ordre dans les finances. L'état d'une nation, endormie dans la servitude par ces petites concessions, est beaucoup plus désespéré que celui de ceux qui gémissent sous le joug du plus dur despotisme, et la condition de la France auroit été plus incurable que jamais. De pareils argumens convainquirent généralement que la question de savoir si les Etats généraux voteroient par ordre ou par tête, étoit la même que celle de savoir s'ils rendroient ou s'ils ne rendroient pas des services importans. Guidées par ces motifs , et soutenues par l'esprit public , les communes persisterent inflexiblement dans leur principe de réunir les trois ordres. Elles adopterent une organisation *provisoire ;* mais elles éviterent avec soin tout ce qui pouvoit supposer une existence légale , ou des pouvoirs constitutionnels. Les nobles , moins politiques ou moins timides , se déclarerent un ordre légalément constitué , et commencerent à traiter les grands objets de leur convocation. Le clergé affecta de conserver une espece de caractere mitoyen , et de vouloir concilier les différends des deux ordres hostiles. Les communes , fermes dans leur système , resterent dans une sage et prudente inaction , qui sembloit reprocher tacitement aux nobles l'arrogance de leur conduite ; tandis qu'elles ne laissoient aucun prétexte de calomnier la leur , qui donna le tems à l'effervescence populaire de s'accroître , et qui mit la cour dans une grande détresse , par le délai de secours pécuniaires. Le ministre proposa plusieurs plans *conciliatoires,* qui furent rejetés par la hauteur de la noblesse et par la politique des communes.

C'est ainsi que se passa l'intervalle du 5 mai au 12 juin, lorsque les chefs populaires, animés par le soutien du public, et assurés de la maturité de leurs plans, prirent un ton plus déterminé.

Le tiers-état commença la vérification des pouvoirs, somma les nobles et le clergé de se rendre à la salle des Etats généraux, et décréta que l'absence des députés de quelques districts et de quelques classés de citoyens ne pouvoit pas empêcher les représentans des quatre-vingt-seize centiemes de la nation de se constituer en assemblée nationale.

Ces mesures décisives découvrirent les desseins de la cour, et donnerent des preuves de cette *bonté* et de cette *libéralité*, pour lesquelles Louis XVI a été si follement célébré. Ce foible prince, dont le caractere public varioit à chaque changement] de ministere, qui avoit également été l'instrument de l'ambition de Vergennes, de la prodigalité de Calonne, et de la popularité théâtrale de Necker, avoit jusqu'ici cédé au désordre des finances, et aux clameurs du peuple. La cabale qui le dirigeoit lui permettoit de faire des concessions qu'elle espéroit rendre inutiles ; et elle se flattoit , par le moyen de contestations entre les ordres , d'empêcher toute idée de réforme essentielle. L'assemblée n'eut pas plutôt donné des marques d'activité et de vigueur, que cette cabale en fut fort alarmée ; ce qui parut par la conduite du roi. Le comte d'Artois et les autres princes du sang publierent les manifestes les plus hardis contre l'assemblée : le crédit de M. Necker diminua journellement à la cour ; les royalistes, dans la chambre de la noblesse , ne parlerent de rien moins que d'accuser les communes de trahison , et de la dissolution immédiate des Etats ; on rassembla de toutes les parties du royaume , autour de Versailles et de Paris , une grande force militaire, et une artillerie formidable : et dans ces circonstances critiques , la tenue des Etats généraux fut défendue par ordre du roi, jusqu'à l'époque d'une séance royale , qui devoit se tenir le 22 , mais qui n'eut lieu que le 23 juin. Les communes , voulant se rendre , le 20 , à leur salle , la trouverent investie de soldats , et hérissée de baïonnettes. Le président les rassembla dans un *jeu de paume*, où elles furent réduites à tenir leur séance, et qu'elles rendirent célebre par le serment unanime et mémorable qu'elles y prêterent, de ne se séparer qu'après avoir achevé la régénération de la France.

La *séance royale* ainsi annoncée, étoit d'accord avec le nouvean ton de la cour. Son extérieur étoit marqué par la hauteur sombre et féroce du despotisme. Il étoit évident que la marionnette royale étoit mue par d'autres personnes que celles qui lui avoient soufflé son discours à l'ouverture des Etats. Il parla probablement avec le même esprit et les mêmes sentimens, et éprouva aussi peu de fermeté sous le manteau de l'arrogance, qu'il avoit eu peu de sensibilité dans ses protestations d'amour et d'affection. Il fut vraisemblablement aussi foible sous l'un, qu'il avoit été froid dans les autres ; mais son langage est un échantillon du systême de ses souffleurs.

Ce discours étoit remarquable par une condescension insultante et des menaces hautaines. Il parloit, non pas comme le chef d'une nation libre à la législature souveraine, mais comme un sultan à son divan. Il *annulloit* et *prescrivoit* des délibérations, selon son plaisir. Il affectoit de représenter sa volonté comme la regle de la conduite des membres du corps législatif, et sa bonté comme la source de leur liberté. Le contenu de ce discours n'étoit pas moins injurieux, que les termes en étoient offensans. Au lieu de faire quelque concession importante à la liberté publique, il indiquoit une rechute dans un despotisme plus grand qu'il n'avoit auparavant paru désirer : il y consacroit les dîmes, les droits féodaux et seigneuriaux, comme les propriétés les plus inviolables ; et en recommandant le réglement *des lettres de cachet*, il en condamnoit évidemment l'abolition. Il considéroit la distinction des ordres comme essentielle à la constitution du royaume, et leur réunion actuelle comme légitimée seulement par sa permission. Il concluoit en leur commandant de se séparer et de s'assembler le lendemain chaque ordre dans sa salle.

Cependant les communes, fermes dans leurs principes, et se regardant comme

constituées en assemblée nationale , trai-
tèrent ces menaces et ces injonctions avec
un égal mépris. Elles resterent assemblées
dans leur salle , que les autres ordres
avoient quittée, conformément à l'ordre
du roi ; et quand le marquis de Brezé leur
rappela l'ordre de sa majesté, M. Bailly
lui répondit avec l'énergie d'un spartiate :
« La nation assemblée n'a point d'ORDRES
à recevoir ». — Elles continuerent à prendre des résolutions déclaratoires de leur
adhésion à leurs premiers décrets , et de
l'inviolabilité des membres. — La séance
royale, que le parti aristocratique attendoit avec tant de confiance, porta le plus
grand coup à la cause des aristocrates.
Quarante - neuf membres de la noblesse ,
à la tête desquels étoit M. de Clermont-
Tonnerre, se rendirent, le 26 juin, à
l'assemblée (1). L'enthousiasme du peuple
étoit porté au point, qu'on eut ou qu'on
fit semblant d'avoir des alarmes pour la

____

(1) Il est digne de remarque que , parmi ces nobles ,
il y en avoit qui ont toujours été considérés comme du
parti *modéré* : tels que MM. Lally, Virieu et Clermont-
Tonnerre , qui ne peuvent certainement pas être accusés
d'être démocrates outrés.

sûreté du roi, si la réunion des ordres
étoit différée. La réunion fut donc résolue,
et le duc de Luxembourg, président de
la noblesse, autorisé par sa majesté à
annoncer à son ordre l'intention et même
le commandement du roi, pour que les
nobles se réunissent aux autres ordres. Il
remontra au roi les funestes conséquences
de cette démarche. Il remarqua que ce
n'étoit point leurs batailles que les nobles
soutenoient, mais celles de la couronne.
Le salut de la monarchie, ajouta - t - il,
étoit nécessairement lié avec la division
des Etats généraux. Divisé, ce corps étoit
soumis à la couronne. — Réuni, son autorité étoit souveraine, et sa force irrésistible (1). Le roi ne fut cependant pas
ébranlé par toutes ces considérations; et
le jour suivant, il informa de sa volonté
les présidens de la noblesse et du clergé,
par une lettre officielle. Ce mandat ob-
tint une obéissance sombre et involontaire,

____

(1) Ces remarques de M. de Luxembourg équivalent à mille défenses des révolutionnaires contre M.
Burke. Elles prouvent d'une maniere incontestable que
la division des ordres n'étoit soutenue que pour para-
lyser les efforts de la légiflature contre le despotisme...

et la réunion des représentans promit à la France quelque espoir de succès.

Mais le système général du gouvernement formoit un contraste bien suspect et bien formidable avec ces concessions désirées. On fit avancer de nouvelles hordes de mercenaires étrangers des provinces les plus éloignées , pour bloquer Paris, et Versailles ; un vaste train d'artillerie fut placé dans toutes les avenues de ces villes ; et la capitale et la législature de France étoient déjà environnées de soixante - dix mille hommes , quand on hasarda de frapper le dernier coup contre l'espérance publique, par l'exil ignominieux de M. Necker. Il s'ensuivit des événemens sans exemples dans les annales du monde, que l'histoire rapportera et rendra immortels, mais sur lesquels le raisonneur politique ne doit que spéculer. La France fut à la veille d'une guerre civile. Les provinces furent prêtes à faire marcher de grands corps de volontaires, pour délivrer leurs représentans. Les courtisans et leurs mignons, les princes et les princesses , les favoris mâles et femelles, se transportèrent en foule dans les camps dont Versailles étoit investi , et exciterent la cruauté féroce de leurs mercenaires , par des caresses , par des présens , et par des promesses. En même tems , le peuple de Paris se révolta ; les soldats français sentirent qu'ils étoient citoyens , et la fabrique du despotisme tomba en ruines.

Ces soldats , que la postérité célébrera pour leur patriotisme héroïque , sont appelés par M. Burke « de vils déserteurs mercenaires », qui ont vendu leur roi pour une augmentation de paye (1). Il fait par-tout cette assertion , où il insinue la même chose ; mais il n'y a rien de plus faux. Si la défection s'étoit bornée à Paris , l'accusation auroit quelque chose de vraisemblable. Les finances d'une faction auroient pu suffire à corrompre les gardes françaises. L'activité de l'intrigue auroit pu séduire par des promesses les

---

(1) M. Burke est appuyé , dans son opinion , par une autorité qui n'est pas bien respectable ; c'est celle de son compatriote *d'Alton* , commandant des troupes autrichiennes dans les Pays-Bas. Au mois de septembre 1789, il parla au *régiment de Ligne* , alors à Brussels , en ces termes : « J'espere que vous n'imiterez jamais ces » lâches français qui ont abandonné leur souverain ».

troupes cantonnées dans le voisinage de la capitale. Mais quelle politique ou quelle intrigue pouvoit, par le moyen d'agens, ou de présens, corrompre une armée de 150,000 hommes, répandue sur tout le territoire d'une aussi vaste monarchie. L'esprit de résistance à des ordres *peu patriotiques* se manifesta à la fois dans toutes les parties de l'empire. Les garnisons de Rennes, de Bordeaux, de Lyon, et de Grenoble refuserent, presque au même instant, de s'opposer à la vertueuse insurrection de leurs concitoyens. Il n'y a point de présens qui eussent pu séduire, point d'intrigue qui eût pu atteindre un corps si vaste et si divisé. Il n'y eut que la sympathie de l'esprit national qui fût capable de produire cette noble désobéissance. On peut ici faire l'application de la remarque de M. Hume, que ce qui dépend d'un petit nombre d'individus, peut souvent être attribué au hasard (*à des circonstances secretes*), mais que les actes des grands corps doivent toujours être attribués à des causes générales. *Montesquieu* appréhendoit que la manie d'augmenter les armées finiroit par convertir

l'Europe en un immense camp, par changer nos artisans et nos cultivateurs en
sauvages militaires, et par faire revivre
le siecle d'Attila et de Gengis-kan. — Les
événemens sont nos maîtres, et la France
nous a appris que ce mal porte avec soi
son propre remede et ses limites. Une
armée domestique ne peut s'augmenter
sans augmenter le nombre de chaînons
qui la lient avec le peuple, et le nombre
de canaux par où coulent les sentimens
populaires. Tout homme ajouté à l'armée
est un nouveau chaînon qui l'unit à la nation. Si tous les citoyens étoient obligés
de devenir soldats, tous les soldats de-
vroient nécessairement adopter les sentimens de citoyens , et les despotes ne
sauroient augmenter leur armée sans y
admettre un plus grand nombre d'hommes
intéressés à les détruire. Une petite armée
peut avoir des sentimens différens de ceux
du grand corps du peuple et des intérêts
différens du leur ; mais une grande armée ne le peut pas. C'est la barriere que
la nature a opposée à l'augmentation des
armées. Elles ne sauroient devenir assez
nombreuses pour assujettir le peuple sans
devenir

devenir le peuple elles - mêmes. Les effets de cette vérité n'ont jusqu'ici été prouvées que par la défection des troupes de France, parce que le sentiment éclairé de l'intérêt général avoit fait plus de progrès chez cette nation que dans aucune autre monarchie absolue de l'Europe. Mais ils seront tôt ou tard sentis par tout le monde. Une stricte discipline peut, pendant un tems, en Allemagne, abattre et abrutir les soldats au point de ne recevoir aucune impression de leurs concitoyens. — Les institutions artificielles et locales sont cependant trop foibles pour résister à l'énergie des causes naturelles. La constitution de l'homme survit à la mode passagere du despotisme, et l'histoire du siecle à venir prouvera probablement au monde entier la foiblesse et la fragilité des bases sur lesquelles sont assises les tyrannies militaires de l'Europe.

La prétendue séduction des troupes françaises, par la promesse d'une augmentation de paye, est, sous tous les points de vue, contredite par les faits. Cette augmentation de paye n'a pas pris sa source dans l'assemblée. Ce ne fut donc point une partie de sa politique. — Elle avoit été prescrite aux représentans dans leurs instructions, avant la convocation des Etats (1). Ce ne pouvoit donc être un projet d'une cabale de démagogues, pour séduire l'armée ; c'étoit la voix unanime de la nation ; et s'il y eut une conspiration, ce fut celle de la nation entiere. Que pouvoient offrir les démagogues ? Les soldats savoient que les Etats généraux devoient, selon leurs instructions, augmenter leur paye. Une augmentation de paye ne pouvoit donc pas les tenter à vendre leur roi, puisqu'ils en étoient déjà sûrs, la voix de la nation l'ayant prescrite. C'étoit en effet une des parties de ce système qui devoit faire de l'armée un corps de citoyens respectables, au lieu d'une bande d'assassins et de mendians.

Ce système doit infailliblement limiter

---

(1) J'en appelle à M. de Calonne : son autorité, à cet égard, ne sauroit être suspecte. Voyez son sommaire des *cahiers*, ou instructions, art. 73. « — *L'augmentation de la paye du soldat* ». Calonne, pag. 390.

l'augmentation des armées dans le Nord. Son influence s'est déjà fait sentir dans les Pays-Bas, que le hasard semble avoir rendus à Léopold, pour servir d'école d'insurrection aux soldats allemands. Les troupes autrichiennes y ont murmuré de leur pauvreté, et ont cité, dans leur demande d'une augmentation de paye, l'exemple de la France. Cet exemple doit également opérer sur les autres armées de l'Europe. Les despotes indigens de l'Allemagne et du Nord trouveront des bornes à leur rage militaire dans la pénurie de leurs finances. Ils seront forcés de réduire le nombre, et d'augmenter la paye de leurs soldats, et ce sera une nouvelle barriere aux progrès de cette population et de cette barbarie que les philosophes appréhendoient de l'augmentation rapide des forces militaires. Ces remarques sur l'esprit qui porta l'armée française à cette conduite sans exemple, mal entendue et calomniée, sont particulierement importantes, parce qu'elles servent à éclaircir un principe que l'on ne sauroit trop souvent rappeler ; savoir, que, dans la révolution de France, tout doit être attribué à des causes générales qui influoient sur tout le corps de la nation, et presque rien aux plans ou à l'ascendant des particuliers.

Revenons à notre sujet. Ce fut au moment de la révolte des Parisiens, et de la défection de l'armée, que tout le pouvoir de la France dévolut à l'assemblée nationale. C'est donc à cette époque que commence la question de savoir si ce corps auroit dû rétablir et réformer un gouvernement que *différens événemens avoient renversé*, ou procéder à établir une nouvelle constitution sur les bases générales de la raison et de la liberté. Le bras de l'ancien gouvernement avoit été paralysé, et son pouvoir anéanti par des événemens que l'assemblée n'avoit pu commander. C'étoit à elle à déterminer, non pas si la monarchie devoit être renversée, car cela étoit déjà fait, mais si on pouvoit recueillir de ses ruines des fragmens qui pussent servir à la reconstruction de l'édifice politique.

Elle avoit été convoquée comme une législature ordinaire, lorsqu'il existoit des lois. Elle se trouva transformée, par ces événemens , en CONVENTION NATIONALE , et revêtue de pouvoirs pour organiser un gouvernement. C'est en vain que ses adversaires contestent cette assertion , en citant le manque de formes (1). C'est en vain qu'ils demandent les instrumens légaux qui ont changé la constitution , et étendu les pouvoirs des représentans. La sagesse des lois prescrit des formes régulieres de commettre le pouvoir dans l'administration réguliere des empires. Mais les grandes révolutions sont trop extraordinaires pour qu'on observe les formalités d'usage. Toute la sanction que l'on peut attendre dans de pareils événemens , c'est

---

(1) M. Burke fait mention de cette circonstance. « Je ne puis considérer l'assemblée que comme une » association volontaire d'hommes qui ont profité des » circonstances pour s'emparer des rênes de l'état. » Ils ne tiennent l'autorité qu'ils exercent d'aucune loi » constitutionnelle de l'empire ; ils se sont écartés des » instructions de leurs commettans , &c ». *Burke*, *pag.* 141—3. M. de Calonne a traité le même sujet dans un grand mémoire de 44 pages , contre les prétentions de l'assemblée d'être une convention. Ce mémoire est écrit avec beaucoup d'art et de travail. — Voyez son ouvrage depuis la pag. 314 jusqu'à la 358.

D 3

la voix du peuple , quelque irréguliere-
ment qu'elle soit exprimée ; on ne sauroit dire que cela ait manqué en France.
Toute autre espece d'autorité étoit anéantie par l'acte du peuple , excepté celle des
Etats généraux. C'étoit donc sur eux que
tomboit le droit d'exercer ce pouvoir *illimité* (1) , selon ce qui leur paroissoit le
plus avantageux pour l'intérêt général.
Leurs ennemis ont même , dans leurs in-

____

(1) Les admirateurs de M. Burke ont fort vanté
la distinction qu'il a faite (pag. 27) entre la compétence *abstraite* et *morale* d'une législature. Quant à
moi, elle me paroît une méthode nouvelle et peu juste ,
de distinguer entre un *droit* et la *convenance* d'en faire
usage. Mais sa maniere d'expliquer cette distinction est
beaucoup plus pernicieuse que la nouveauté de la distinction. Cette compétence morale est sujette , dit notre
auteur, « à la bonne foi, à la justice et à la poli-
» tique fondamentale et fixe ». Cette explication rend
cette distinction sujette à une double objection. Il est
faux que la compétence *abstraite* d'une législature
s'étende à la violation de la bonne foi et de la justice.
Il est également faux que sa compétence morale ne
s'étende pas à la politique la plus fondamentale , et
confondre de cette maniere la politique fondamentale
avec la bonne foi et la justice , pour invectiver des
innovateurs ; c'est plonger un poignard dans le sein de

vectives, avoué *l'adhésion subséquente*
du peuple; car ils l'ont traitée de l'enthousiasme d'un cruel fanatisme. L'autorité de l'assemblée lui a donc d'abord été
donnée par la confiance publique, et ses
actes ont depuis été ratifiés par l'approbation publique. Rien ne peut démontrer
d'une maniere plus forte une inclination
pour de frivoles sophismes, que d'observer, avec Calonne., que pour que cette
ratification fût valide, elle devoit être
accordée par la France, selon son ancienne
division en bailliages et en provinces, et
non pas suivant sa nouvelle organisation
en municipalités. Ce sont les mêmes *indi-*
vidus qui agissent sous les deux formes.
L'approbation des *individus* rend le gouvernement légitime. Il est indifférent qu'ils
soient assemblés en bailliages ou en municipalités. Si cette latitude de manque aux
formes; cet assujettissement des lois à
leurs principes et des gouvernemens à leur

---

la morale. Il n'y a qu'une maxime de politique véritablement fondamentale. — *Le bien des gouvernés* —.
Et la stabilité de cette maxime, bien entendue, démontre la mobilité de toute politique qui lui est subordonnée.

D 4

origine , ne sont point permis dans les révolutions , comment justifiera-t-on l'autorité que s'est arrogée la convention anglaise de 1688 ? « Ses membres ne tenoient
» l'autorité qu'ils exercerent d'aucune loi
» constitutionnelle de l'Etat ». Ils n'étoient
pas même *légalement* élus , comme les
membres de l'assemblée nationale de
France. Une ratification manifeste du peuple , quoiqu'irréguliere , légitima seule
leurs actes. Cependant ils possédoient , de
l'aveu de M. Burke , une autorité qui
n'étoit limitée que par la prudence et par
la vertu. Si le peuple anglais avoit donné
des *instructions* aux membres de cette
convention , leurs dernieres mesures en
auroient probablement été aussi éloignées
que celles des membres de l'assemblée de
France le furent des cahiers de leurs commettans ; et il est vraisemblable que l'adhésion publique auroit également justifié cette
déviation.

Tout homme qui a fait attention à la
tournure des esprits , lorsque Guillaume
débarqua en Angleterre , avouera que la
majorité de la nation n'auroit pas donné
des instructions pour déposer Jacques. Le

premier aspect de ces grands changemens embarrasse et intimide trop pour
qu'on prenne de justes mesures et des
résolutions hardies. Il n'y a que les progrès des événemens qui puissent augmenter l'espoir et agrandir les idées.

Cette influence fut bien sentie en France.
Le peuple, à une époque plus avancée de
la révolution, révoqua indirectement les
instructions avec lesquelles la foiblesse de
son enfance politique avoit limité le pouvoir de ses représentans ; car il sanctionna
des actes qui étoient contraires à ces instructions. La formalité des instructions
n'existoit pas, il est vrai, en Angleterre,
mais le changement de l'opinion publique, fut aussi remarquable depuis l'ouverture de la convention jusqu'à sa clô-
ture, que le contraste, si pompeusement
publié par M. de Calonne, entre les décrets de l'assemblée nationale & les premieres instructions de ses commettans.
Tant les objections contre l'autorité de
l'assemblée sont foibles & peu solides.

Nous allons maintenant revenir sur la
considération de l'exercice de ses pouvoirs,
& examiner si elle devoit réformer ou dé-

truire le gouvernement. La question gé‑
nérale d'innovation est un lieu commun
usé , auquel le génie de M. Burke n'a
rien pu ajouter que le brillant de l'élo‑
quence & la clarté de la définition. Il
y a si long-temps qu'elle est de cette na‑
ture , que milord Bacon l'a classée au
nombre des contestations amusantes faites
pour exercer la réthorique. Personne ne
peut vouloir les extrêmes , ni d'un côté
ni de l'autre. Il n'est pas plus possible
de soutenir la cause des changemens
perpétuels que celle des établissemens
immuables. C'est pourquoi , pour passer
de ces généralités arides à un examen
plus direct de la question , il faut la
poser avec plus de précision.

L'ordre civil de France étoit - il cor‑
rigible, *ou étoit-il nécessaire de le* dé‑
truire ? Sans parler de l'extirpation du
système féodal , et de l'abrogation des
codes civil et criminel, nous devons d'a‑
bord considérer la destruction des trois
grands corps de la noblesse , du clergé ,
et des parlemens. Ces trois aristocraties
étoient les piliers qui formoient vérita‑
blement le gouvernement français. Donc

la question de *former* ou de *détruire* ces corps, est fondamentale. Un principe général, qui leur est applicable à tous, fut adopté par les législateurs français —*Que l'existence des ordres répugne aux principes de l'union sociale.* Un ordre est un rang *légal*, un corps d'hommes combiné, et à qui la loi accorde des priviléges. — Il existe deux especes d'inégalités, l'une personnelle :— Celle des talens et de la vertu, la source de tout ce qui est excellent et admirable dans la société. — L'autre, celle de la fortune, qui doit subsister, parce qu'il n'y a que la *propriété* qui puisse exciter au travail; et le travail, s'il n'étoit pas nécessaire à l'existence, seroit indispensable pour le bonheur de l'homme. Mais quoique la propriété soit nécessaire, cependant lorsqu'elle est excessive, elle devient la grande maladie de la société civile. Le pouvoir que les richesses accumullent en peu de mains, est une source perpétuelle d'oppression et de négligence pour le reste du genre humain. Le pouvoir des riches est d'autant plus concentré, qu'il tend à une *combinaison* dont le nombre, la situation

éparse, l'indigence et l'ignorance privent
le pauvre. Les riches se forment en corps,
appelés *rangs*, par leurs professions, leurs
différens degrés d'opulence, leurs connoissances, et leur petit nombre. Dans
tous les pays, ils administrent nécessairement le gouvernement ; car ils ont seuls
les connoissances et le loisir requis pour
ses fonctions. Dans ces circonstances, rien
n'est plus évident que leur prépondérance
dans la balance politique. La préférence
des intérêts particuliers aux intérêts généraux est cependant le plus grand de
tous les maux publics. L'objet de toutes
les lois auroit donc dû être de réprimer
cette maladie ; mais elles ont au contraire
toutes tendu à l'aggraver. — Peu contentes de l'inégalité indispensable des fortunes, elles y ont ajouté des distinctions
honorifiques et politiques. Peu contentes
de la tendance inévitable des gens opulens pour combiner, elles les ont incor-
porés en classes. Elles ont fortifié ces
conspirations contre l'intérêt général, au
lieu de s'y opposer, quoiquelles ne pussent les détruire. Les lois, dit - on, ne
sauroient rendre les hommes égaux. Cela

est vrai ; mais doivent - elles pour cela aggraver l'inégalité qu'elles ne sauroient guérir ? Les lois ne peuvent inspirer un patriotisme désintéressé. — Mais doivent-elles, pour cette raison, encourager cet *esprit de corps*, qui est son plus cruel ennemi ? Toutes les combinaisons de professions , dit M. Burke, dans un de ses derniers discours en parlement, sont dangereuses dans un Etat libre. En argumentant sur ce principe, l'assemblée nationale a été plus loin. Elle a conçu que les lois ne devoient pas *créer* d'inégalité de corps ; qu'elles devoient reconnoître tous les hommes comme de simples citoyens, et ne pas aider la prépondérance naturelle de l'intérêt particulier contre l'intérêt général.

Mais outre les raisons générales d'inimitié contre les ordres, les circonstances particulieres de la France offroient d'autres objections qu'il sera nécessaire d'examiner plus en détail.

Il faut d'abord remarquer que toutes les corporations et les institutions du royaume participoient à l'esprit de l'ancien gouvernement ; et sous ce point de

vue , étoient incapables de pouvoir s'a-
malgamer avec une constitution libre.
Elles avoient une teinte du despotisme
dont elles étoient les membres ou les instrumens.

Les monarchies absolues , comme tous
les autres gouvernemens stables et permanens , assimilent tout ce qui a des
rapports avec elles à l'esprit qui les dirige. La noblesse, le clergé, l'aristocratie
judiciaire n'étoient pas propres à être
membres d'un gouvernement libre, parce
que leur caractere avoit été formé sous
des établissemens arbitraires. Conserver
ces grands corps auroit été préserver les
germes du despotisme au sein de la liberté.
Cette remarque méritera peut-être l'attention de M. Burke, en éclaircissant une
importante différence entre les révolutions
française et anglaise. Le clergé, la pairie,
et les juges d'Angleterre avoient , jusqu'à
un certain point, les sentimens inspirés
par un gouvernement dans lequel la liberté avoit été éclipsée , mais n'étoit point
éteinte. — Ils étoient donc qualifiés pour
participer à une liberté plus solide et
plus grande. Mais le cas de la France

étoit bien différent. Ces corps y avoient imbibé tous leurs sentimens, et adopté toutes leurs habitudes sous l'influence du pouvoir arbitraire. Sous ce point de vue, les mêmes argumens justifieront leur conservation en Angleterre, et leur destruction en France. Il est absurde de considérer les ordres comme des restes de cette constitution libre dont la France jouissoit autrefois, ainsi que les autres nations gothiques de l'Europe. Il ne restoit de ces anciens ordres que le nom. Les nobles n'étoient plus ces barons hautains et puissans, qui asservissoient le peuple et dictoient au roi. Les ecclésiastiques n'étoient plus ces prêtres, devant lesquels, dans un siecle superstitieux, le pouvoir civil étoit impuissant et muet. Ces deux classes d'hommes étoient dégénérées en dépendans de la couronne. Les communes de France, opulentes et éclairées, ne ressembloient pas non plus à cette populace servile et indigente du seizieme siecle. Deux cents ans d'exercice, sans interruption, avoient légitimé l'autorité arbitraire, autant que la prescription peut consacrer l'usurpation. L'ancienne constitution française ne devoit donc pas plus servir de modele que celle d'aucune *autre* nation (qui ne devoit être jugée que selon son utilité), et n'avoit pas même l'autorité d'un établissement. On lui avoit substitué une *autre forme* de gouvernement ; et si la France avoit voulu recourir à une époque antérieure à celle de sa servitude , pour chercher des modeles de législature , elle auroit aussi bien pu remonter au tems de Clovis, ou de Charlemagne , que d'aller chercher des exemples sous les regnes de Henri III et de Marie de Médicis. Toutes ces formes de gouvernement n'ont existé que dans l'*histoire*.

Ces observations tombent sur tous les ordres. Examinons - les à présent chacun séparément. Le dévouement de la noblesse de France au monarque provenoit également de ses sentimens, de ses intérêts , et de ses habitudes. « L'esprit de chevalerie », si long-tems la passion dominante de l'Europe , étoit alimenté chez elle par l'esprit militaire, dont il tire son origine. La majorité des nobles n'avoit pas d'autre profession que celle des armes, pas d'autre

espoir

espoir que la faveur du prince. Les jeunes et les indigens remplissoient les camps ; les plus opulens et les plus âgés partageoient la splendeur et les bontés de la cour ; mais ils étoient également dépendans de la couronne. A la plénitude du pouvoir royal étoient attachés ces immenses et magnifiques priviléges , qui divisoient la France en deux nations distinctes , dont l'une offroit une noblesse accaparant toutes les récompenses et toutes les places de l'Etat ; et l'autre un peuple dégradé à une espece de *servitude* politique (1). Les hommes ne résignent pas de bon coeur de pareils priviléges , et n'abandonnent pas sans peine les sentimens qu'ils ont inspirés. Le sacrifice pompeux d'exemptions pécuniaires, dans un moment de fermentation générale , est une foible preuve de leurs véritables sentimens. Ils affecterent d'accorder comme un don ce qu'ils auroient bientôt été forcés d'abandonner , comme une usurpation , et ils espérerent, par le sacrifice d'une par-

____

(1) Je dis *politique* , contradictoirement à *civile ;* car , dans ce dernier sens, l'assertion seroit fausse.

E

tie , pouvoir assurer le reste. On les a fort
justement comparés à une bande de *ja-*
nissaires politiques (1), beaucoup plus
utiles à un sultan que des mercenaires ,
parce qu'ils lui sont attachés par des intérêts constans et des sentimens ineffaça-
bles. Une réforme auroit-elle pu extraire
de ce corps quelque portion qui pût entrer
dans la nouvelle constitution ? C'est une
question que nous traiterons lorsque nous
prendrons ce système politique en considération. L'existence des nobles , comme
formant un membre de la législature , est
une question différente de leur conservation , comme un ordre séparé, ou comme
une grande corporation dans l'Etat. On
pouvoit établir un sénat de nobles , en
détruisant l'ordre de la noblesse , et ç'auroit été alors copier exactement l'Angleterre.. — Mais c'est de l'ordre dont nous
parlons maintenant ; car nous sommes à
considérer la destruction de l'ancien gouvernement , et non pas la formation du
nouveau. — La suppression de la noblesse

____

(1) Voyez « *thoughts on governement* , par M.
Rous.

a été mal-à-propos confondue en Angleterre avec la prohibition des titres. La
réunion des ordres en une seule chambre
fut le premier pas vers la destruction
d'un corps législatif de nobles. L'abolition
de leurs droits féodaux, dans la séance
mémorable du 4 août 1789 , peut être
regardée comme le second. Après ces mesures , ils n'avoient plus d'autres distinctions que leurs titres , et il restoit à savoir
quelles places ils occuperoient dans la nouvelle constitution. Cette question fut décidée par le décret du 22 décembre de la
même année, qui porta que les assemblées
électorales seroient composées sans avoir
égard au rang, et que les citoyens de tous
les ordres y voteroient indistinctement. La
distinction des ordres fut abolie par ce
décret : la noblesse ne devoit former aucune partie de la nouvelle constitution ,
et elle fut dépouillée de tout ce dont elle
avoit joui sous l'ancien gouvernement,
hors ses titres.

Jusqu'ici tout avoit passé sans qu'on y
fît attention ; mais l'assemblée n'eut pas
plutôt extirpé, conformément à ses principes, les signes extérieurs de rangs qu'elle

ne souffroit plus, que toute l'Europe fît entendre des clameurs contre cette rage de nivellement. Le décret *incroyable* (1) du 19 juin 1790, pour la suppression des titres, est l'objet de toutes ces invectives. Cependant sans cette mesure, l'assemblée auroit été coupable de l'inconséquence et de l'absurdité la plus grossiere. Il y avoit eu des exemples, dans quelques républiques de l'antiquité, d'une noblesse *sans titres*, formant un membre de l'Etat. Tels étoient les patriciens de Rome. Mais une noblesse titrée, sans priviléges légaux, ou sans existence politique, auroit été un monstre nouveau dans les annales de l'absurdité législative. L'aristocratie romaine possédoit le pouvoir sans le *joujou*. Si l'on avoit conservé les titres en France, ç'auroit été respecter le *joujou*, et fouler au pied le pouvoir. Une noblesse titrée est incontestablement un rejeton de la barbarie féodale. Les titres, chez toutes les nations, *marquoient les charges*; il étoit réservé pour l'Europe gothique de les attacher aux *rangs*. Néan-

______

(1) C'est ainsi que M. de Calonne l'appelle.

moins cette conduite de nos ancêtres demande quelque explication ; car chez eux
les charges étoient héréditaires , et les titres
qui les distinguoient devinrent aussi héréditaires. Mais nous qui avons aboli l'hérédité des charges , pouvons - nous conserver un usage qui lui doit son origine ,
et que cette hérédité pouvoit seule justifier?

On a tellement méconnu cette origine
moderne des titres de la noblesse , que
l'on a même prétendu qu'ils étoient nécessaires à l'ordre et à l'existence de la
société : basse et arrogante superstition ,
qui borneroit toutes les remarques politiques aux Etats gothiques de l'Europe, ou
qui établiroit des principes généraux sur
des événemens qui occupent une si petite
partie de l'histoire , et sur des usages
adoptés par une si petite portion du genre
humain. Une noblesse titrée fut également inconnue dans les superbes monarchies de l'Asie , et dans les mâles et simples républiques de l'antiquité (1). Elle

____

(1) Il existoit, à la vérité , des corps aristocratiques
chez les anciens ; mais les *titres* y étoient inconnus.

prit naissance dans les circonstances particulieres de l'Europe moderne : et cependant on établit sa nécessité sur les bases
de l'expérience universelle, comme si ces
autres Etats célebres et raffinés étoient
effacés des pages de l'histoire, et bannis
de la société des nations. « La noblesse
» est l'ordre corinthien des Etats policés ».
L'auguste fabrique de la société est sur-
chargée et défigurée par ces ornemens gothiques. Le vigoureux dorique, qui la soutient, est le Travail; et la splendide variété des arts et des talens, qui font la
consolation et les douceurs de la vie, forme
les décorations de ses chapiteaux, ioniques
et corinthiens.

D'ailleurs, d'autres motifs que l'extirpation de la féodalité, engagerent la législature de France à supprimer les titres.

_Quoiqu'ils aient possédé des priviléges politiques,
cependant comme ces priviléges n'affectoient point les
mœurs, ils n'avoient pas la même tendance à influer
sur le caractere public que les titres. Ces corps étant
d'ailleurs ouverts aux *propriétés* ou aux *charges*, ne
sauroient, en aucune maniere, être comparés aux nobles de l'Europe. Ils pouvoient affecter les *formes* d'un
gouvernement libre ; mais ils n'étoient pas aussi nuisibles
à l'esprit de liberté.

Pour donner de la stabilité à un gouvernement populaire , il faut former un caractere démocratique et inspirer des sentimens démocratiqnes. Il falloit faire revivre l'esprit d'égalité que les définitions des titres avoient peut - être éteint plus qu'aucune autre cause , et sans lequel les formes démocratiques n'ont aucun poids , et sont de courte durée. Il falloit établir un gouvernement libre , en infusant l'esprit d'égalité et de liberté dans les sentimens, les moeurs et la correspondance la plus familiere des individus. C'est pourquoi les marques d'inégalité , qui inspiroient continuellement des sentimens contraires à l'esprit du gouvernement, furent détruites : telles que les distinctions qui ne servoient qu'à rendre les nobles peu propres à l'obéissance, et les roturiers peu propres à la liberté ; qu'à entretenir le mécontentement des uns , et à perpétuer l'esclavage des autres ; qu'à priver les uns de cette modération , qui en fait des citoyens , et les autres de cette grandeur d'ame qui les éleve au rang d'hommes libres. Un seul exemple peut déraciner les préjugés les plus invétérés. Ainsi pensoient nos ancêtres, au tems de la révolution, lorsqu'ils s'écartèrent de la ligne de succession, pour détruire le préjugé de sa sainteté. Ainsi penserent également les législateurs de France, quand, par l'abolition des titres, ils porterent un coup mortel aux préjugés serviles, qui rendoient leur pays peu propre à la liberté. C'étoit une assertion *pratique* de cette égalité consacrée dans la déclaration des droits de l'homme, qu'aucune assertion *théorique* n'auroit pu faire entrer dans l'esprit et dans le cœur des hommes. C'étoit une conséquence du principe que la sûreté d'une révolution dans *un gouvernement* ne peut venir que d'une révolution dans le *caractere* du peuple.

On oppose à ces argumens que les distinctions héréditaires sont le *trésor moral* d'un Etat, par lequel il excite et récompense les vertus et les services publics, et qui, sans être à charge à la nation, a une influence irrésistible sur les esprits généreux. Je réponds à cela que cette description est très-vraie quant aux distinctions *personnelles* ; mais que ce trésor moral d'honneur est, dans le fait,

épuisé par l'imprudente profusion qui les
a rendues héréditaires. La possession d'honneurs, par cette foule de gens qui les ont
hérités, et non pas acquis, diminue le
prix de ces aiguillons, et de ces récompenses de la vertu. S'ils étoient purement
personnels, leur valeur seroit double,
parce que les possesseurs seroient moins
nombreux, et la distinction plus honorable. Tout Etat sage chérira donc les distinctions personnelles, comme sa plus sûre
et sa plus noble ressource. Mais quant aux
titres héréditaires, leur abolition m'en
paroît juste et politique, *au moins dans
les circonstances de la France.*

Le sort du clergé, l'autre grand corps
qui soutenoit le despotisme de France, a
particulierement provoqué l'indignation
de M. Burke. La dissolution de l'ordre
du clergé, la saisie de leurs revenus territoriaux, et la nouvelle organisation des
prêtres, lui paroissent être dictées par la
rapine et l'irreligion réunies, pour satis-
faire la rapacité des agioteurs, et la vengeance des athées. Toutes les cruautés et
les proscriptions des tyrans anciens et
modernes ne sont rien, suivant lui, en

comparaison de cette confiscation des *biens*
de l'Eglise gallicane. Il est vrai que l'on
avoit épuisé sur ce sujet tous les principes et tous les argumens que le génie
peut suggérer, et qu'ils paroissent même
irrésistibles aux hommes ordinaires. Mais
M. Burke dédaigne de se servir de ces
raisons. « Vous ne vous imaginez sans
» doute pas, monsieur », dit-il à son correspondant, » que je vais m'abaisser à
» entrer dans de longues discussions avec
» *cette espece de gens* » (1). Ce qui suit
immédiatement ce passage méprisant est
tellement contraire à la candeur et à l'hon-

____

(1) L'abbé Maury, qui n'est pas moins remarquable
par la fureur de ses déclamations éloquentes, que par
son *ignorante* parade d'érudition dans l'histoire, tenta,
dans le débat sur ce sujet, de tirer son opinion de plus
haut. De vils avocats, selon lui, avoient insinué aux
empereurs romains de s'emparer des biens du clergé,
et c'est contre cette doctrine que porte cette maxime
de la loi civile : « *Omnia tenes Cæsar imperio sed
non dominio* ». On avoit voulu inspirer cette même
doctrine de Machiavel, si l'on veut l'en croire, à
Louis XIV et à Louis XV ; et ils l'avoient tous deux
rejetée avec une magnanime indignation. Le savant
abbé n'a fait qu'une erreur. On avoit, à la vérité,
empoisonné l'esprit des despotes de Rome et de France

nêteté, qu'un antagoniste honorable ne voudra pas en profiter. Le passage lui-même demande cependant quelque atten-tion. Il fait allusion à une opinion dont, *je crois*, M. Burke ne savoit pas l'origine. Ce ne fut ni aux *Jacobins*, ni au *Palais Royal* qu'il fut premierement avancé que les biens de l'Eglise appartenoient à la nation. L'auteur de cette opinion, le précepteur de *cette misérable espece de gens*, que M. Burke dédaigne de combattre, est un homme que M. Burke auroit pu combattre avec gloire, avec assurance de triomphe, en cas de victoire, et sans crainte d'ignominie, en cas de défaite. L'auteur de cette opinion étoit Turgot! Nom aujourd'hui trop connu pour pou-voir gagner par les louanges, ou perdre par les invectives. — Cet homme d'Etat, philosophe et bienfaisant, l'avoit énoncé, dans l'article *Fondation de l'Encyclopédie*, comme l'opinion calme et désintéressée

---

de l'idée qu'ils étoient propriétaires immédiats des biens de leurs sujets. Cette opinion est exécrable et criminelle, et n'est pas comme nous le verrons, la doctrine des législateurs français.

d'un savant, dans un tems où il ne pouvoit avoir aucun dessein de pallier la rapacité , ou de souffler l'irréligion. Ce n'é-
toit pas une, doctrine inventée pour la
circonstance par les agens de la tyrannie ;
c'étoit un principe découvert dans la
pure et innocente spéculation par un des
hommes les meilleurs et les plus sages.
J'avance ici l'autorité de Turgot, non pas
pour répondre aux argumens (si toutefois
il y en a), mais pour contredire les insinuations de M. Burke. L'autorité de ses
assertions imprime un préjugé qu'il est
nécessaire d'effacer avant de pouvoir obtenir une audience impartiale à la barre
de la raison. Lorsqu'il insinue la perversité de ces opinions par la prétendue bassesse de leur origine , il est à propos de
préparer à leur réception , en leur assi-
gnant une naissance plus illustre.

Mais laissant à part la généalogie des
doctrines , examinons leur valeur intrinseque , et n'écoutons que la voix de la
vérité. « *Les terres occupées par le clergé*
» *sont - elles la propriété de ses mem-*
» *bres ?* Il se présente différentes considérations qui pourront éclaircir la question.

I. Il n'a jamais jusqu'ici été supposé qu'aucune classe de serviteurs publics fut propriétaire. Ils sont *salariés* (1) par l'Etat pour remplir certains devoirs. Les juges sont *payés* pour rendre la justice ; les *rois* pour exécuter les lois ; les soldats, où il y a des troupes de ligne, pour la défense publique ; & les prêtres, où il y a une religion établie pour l'instruction publique. Le mode de leur paye est étranger à la question. Dans les siecles barbares, c'est ordinairement en terres ; et dans les siecles éclairés en argent. Or, une *pension territoriale* n'est pas plus une propriété qu'une *pension en argent*. On n'a jamais disputé à l'Etat le droit de régler le salaire des serviteurs qu'il paye en especes. S'il lui a *plu d'assigner une certaine portion de terres pour le salaire d'une autre classe de serviteurs*, pourquoi lui disputeroit-on davantage le droit de reprendre cette terre, et d'établir une nouvelle méthode de paiement ? Dans les

____

(1) « Ils sont ou *salariés*, ou mendians, ou voleurs ». Expressions de Mirabeau, touchant les prêtres.

premiers tems de l'histoire de l'Europe ;
avant que les fiefs devinssent héréditaires,
le souverain accordoit de grandes pro-
priétés\ en terres pour des services militaires. Le clergé tenoit ses terres à de
semblables conditions. Personne ne sauroit prouver que parce que l'Etat avoit
confié à ses serviteurs ecclésiastiques une
portion de terres, comme la source & la
sûreté de leurs *pensions*, ils en soient
plus les *propriétaires* que les autres serviteurs de l'Etat le sont de cette partie
du revenu dont on les paye.

II. Les terres de l'église n'ont pas la
moindre qualité des propriétés. Il est
même avoué qu'elles ne sont pas tenues
pour le *bénéfice* de ceux qui en jouissent. Voilà cependant la marque distinc-
tive d'une propriété d'avec une pension accordée pour le service public. La premiere est évidemment destinée à faire le
plaisir & le bonheur de *celui* qui la possede, comme il est seul juge de ce bonheur ; il a le droit illimité de jouissance,
d'aliénation, & même d'abus ; mais les
terres de l'église, destinées pour le soutien des serviteurs publics, n'avoient au-

cuns des caracteres de la propriété —.
Elles étoient inaliénables, parce qu'il auroit été aussi absurde que les prêtres eussent exercé le droit d'aliénation sur ces
terres, qu'il l'auroit été pour des matelots de prétendre à la propriété d'une
flotte dont ils formoient l'équipage, ou
pour des soldats à celle d'une forteresse
dont ils faisoient la garnison.

III. On convient qu'aucun prêtre *individuellement* n'étoit propriétaire, &
l'on ne disconvient pas que ses plus
grandes prétentions étoient bornées à la
possession de son revenu sa vie durante. Si tous les prêtres pris *individuellement* n'étoient pas propriétaires,
le clergé comme *corps* ne sauroit avoir
un pareil droit. Car qu'est-ce qu'un corps,
sinon une aggrégation d'individus, & quel
nouveau droit peut-on acquérir par un
changement de nom? — Rien ne peut
jeter plus de lumiere sur cet argument
que l'exemple des autres corporations.
Ce sont des associations volontaires d'individus pour leur propre avantage. Chacun de leurs membres possede réellement
une part de leurs propriétés, c'est pour-

quoi ces propriétés sont aliénables , & peuvent s'hériter. La propriété de corps est ici aussi sacrée que la propriété individuelle , parce qu'en derniere analyse c'est la même. Mais le clergé est un corps doté par le pays, & destiné à l'avantage des autres hommes. De-là vient que ses membres n'ont aucun droit *séparé* , & que le corps n'a aucun droit *collectif* de propriété. Ils sont seulement chargés de *l'administration* des terres qui servent à la solde de leurs *salaires* (1).

IV. C'est de cette derniere circonstance que provient cette *ressemblance légale* de propriété. Dans les *chartres*, bails , & autres articles de loi , on les traite avec les mêmes formalités que si c'étoient des propriétés réelles. — « Elles sont identifiées, dit M. Burke » , avec la masse des pro- » priétés particulieres » ; & il faut avouer

---

(1) Ceci est susceptible d'une explication familiere. Si un propriétaire de terres veut payer son intendant pour la perception de ses rentes , en lui permettant de jouir d'une ferme, est - il supposé avoir résigné son droit de *propriété* sur la ferme ? Le cas est exactement semblable.

qu'en

qu'en bornant ses regards aux formes ,
ses raisons sont fort exactes. Mais la répugnance de ces formalités avec la vérité
légale, vient d'une cause bien évidente.
Si l'on accorde au clergé des revenus territoriaux, c'est à lui sûrement qu'il en
faut laisser la protection dans toutes les
contestations litigieuses ; & les procès à
ce sujet ne peuvent être soutenus avec
facilité, simplicité, & efficacité que par la
fiction qu'il est propriétaire. — Ce n'est
point le seul cas où l'esprit et les formes
de la loi sont contradictoires par rapport
à la propriété. L'Ecosse , où l'on tient
encore les terres selon le systême *féodal*,
nous en fournira un exemple remarquable.
Là, si nous bornons nos regards aux formes
de la loi, le *supérieur* doit être considéré
comme le propriétaire, tandis que le véritable propriétaire ne paroît être qu'un
tenancier à vie. Tel est le langage de la
charte par laquelle il obtient un droit
légal à sa terre. Dans ce cas , le vassal
est, *par la forme*, dépouillé de la propriété
dont, par le fait, il jouit. Dans l'autre,
le clergé a *formellement* l'investiture
d'une propriété à laquelle il n'avoit, dans

F

le fait, aucun droit. L'argument de *pres-cription* ne paroîtra pas soutenable, car la *prescription comprend un certain es-pace de tems pendant lequel on avoit exercé les droits de propriété;* mais dans le cas dont nous parlons, ces droits n'ont *jamais* été exercés, parce qu'on n'a jamais pu supposer qu'ils existoient. Il faut prou-ver que ces possessions étoient de la na-ture des propriétés, avant qu'il puisse s'en-suivre qu'elles sont protégées par la pres-cription; & se servir de cet argument, c'est regarder comme décidé ce qui n'est encore qu'en question. Si elles ne furent jamais des propriétés, aucun laps de tems ne sauroit changer leur nature (1).

V. Quand les îles britanniques, la ré-publique d'Hollande, les Etats de Ger-

***

(1) Il y a des gens qui ne seront pas satisfaits de cette maniere de raisonner. Ils soutiennent que la pro-priété étant une créature de la société civile, elle peut être reprise par la volonté publique qui l'a créée ; et ils justifient l'assemblée nationale de France sur ce prin-cipe. Mais une pareille justification est contraire aux principes de cette assemblée : car elle a consacré comme une des premieres maximes de sa déclaration des droits, que l'état ne pouvoit pas violer les propriétés, ex-

manie et de Scandinavie réformerent leurs
établissemens ecclésiastiques , le hurlement
de sacrilege fut la seule armure avec laquelle le clergé tenta de protéger sa prétendue propriété. Le siecle étoit trop barbare & illettré pour des discussions abstraites de jurisprudence. Il semble néanmoins que la clameur de sacrilege tomba

cepté dans les cas de derniere nécessité , et à condition
d'indemnités antérieures. Cette défense ne la justifieroit
pas non plus d'avoir choisi les biens de l'église préfé-
rablement à tout autre. Sous ce point de vue, l'acte
de *reprendre* auroit dû tomber également sur tous les
citoyens. D'ailleurs le principe, pris dans cette latitude, est faux. Il est bien vrai, *sous quelque rapport* ,
que la *propriété* a été créée par un acte de la volonté
publique ; mais c'est par un de ces actes *fonda-*
mentaux , qui constituent la société. La théorie
prouve qu'elle est essentielle à l'état social. L'expérience prouve qu'elle a, jusqu'à un certain point,
existé dans tous les siecles et chez toutes les nations.
Mais ces actes publics , qui forment et dotent les corps,
sont subséquens et subordonnés. — Ce ne sont que des
expédiens ordinaires de législation. La propriété des individus est établie sur un *principe général* , qui paroît
aussi ancien que la société même. Mais ces *corps* sont
des instrumens fabriqués par le législateur , pour un
dessein *spécial* , qui doivent être conservés , tant
qu'ils sont utiles, améliorés quand ils deviennent mauvais , et rejetés quand ils sont inutiles et nuisibles.

de bonne heure dans un souverain mépris.
Le traité de Westphalie sécularisa plusieurs des plus opulens bénéfices d'Allemagne, sous la médiation & la garantie
des premieres puissances catholiques de
l'Europe. Dans notre propre île, lors de
l'abolition de l'*épiscopat* en Ecosse au
tems de la révolution, les revenus de l'é-
glise revinrent paisiblement au souverain
qui en appropria une partie au soutien
du nouvel établissement. Lorsque dans des
tems moins reculés les jésuites furent sup-
primés dans la plupart des monarchies
catholiques, les biens de ce corps formidable & opulent furent par-tout saisis par
le souverain. Dans tous ces exemples mémorables, on ne trouve aucune trace des
prétendues propriétés du clergé. — Le salaire d'une classe de serviteurs publics,
dans tous ces cas, est repris par l'Etat,
quand il cesse de regarder leurs services
ou la forme de leurs services comme
utiles. Il n'est dans aucun reconnu comme
propriété. Cette réclamation que M. de
Calonne fait ici avec tant de véhémence,
ne fut probablement gueres regardée par
lui, quand il prêta son ministere à la des-

truction des jésuites avec tant d'activité et de rancune. Il ne faisoit gueres attention aux *droits sacrés* de leur propriété, quand il servoit d'instrument pour dégrader les membres de cette savante société, la gloire de l'Europe catholique, pour les réduire, en s'emparant de leurs magnifiques revenus, à une misérable pension. Dans toutes ces contestations l'inviolabilité des biens de l'église est un principe qui ne fut jamais mis au jour. On entendit peut-être quelques murmures de sacrileges parmi les fanatiques et le petit nombre d'intéressés; mais il y avoit long-tems que l'horreur religieuse dont les prêtres avoient enveloppé leurs larcins étoit dissipée, & il étoit réservé pour M. Burke de renouveller ce cri de sacrilege qui, dans les ténebres du seizieme siecle s'étoit inutilement fait entendre. On ne doit pas s'attendre qu'on oppose des argumens à des *épithetes.* Quand on aura donné la définition du mot sacrilege, conformément à la bonne logique & au bon anglais, il sera assez tems de le discuter. Jusqu'à ce que nous ayons cette définition (*qui viendra sans doute*

bemens de famille. Le célibat forcé des prêtres de l'église romaine a paré à cet inconvénient , & puisque les dettes du clergé sont réunies à celles de l'Etat, et son existence assurée par des pensions modérées , quoique la sensibilité puisse toujours trouver matiere à des regrets dans les moindres réformes , la justice cependant n'a guère de choses à condamner dans l'ensemble de ces arrangemens. Aucun homme vertueux ne refusera aux membres individuels du clergé de France, dont les espérances & les jouissances ont été abrégées par cette réforme, le tribut de sympathie & de regrets qui leur est dû. Tout homme qui a de l'humanité désirera sans doute que les besoins publics eussent permis à la législature de France de ne point toucher au revenu des prêtres actuels, et particulierement de ceux qu'elle a continués dans leurs fonctions. Mais ces sentimens n'excitent aucuns regrets pour l'anéantissement d'un grand corps, ennemi implacable et déterminé de la liberté, pour la conversion d'une immense propriété publique à l'usage de la nation, ni pour la réduction d'un clergé

C'étoit le seul rempart qui s'opposoit aux incursions de la raison ; car la superstition qui faisoit autrefois tout le pouvoir des prêtres étoit bannie. Ils se rallierent donc autour du trône ; ils transférerent au monarque cette dévotion qui les avoit autrefois attachés à l'Eglise, et la fureur du zele théologique (1) fut remplacée chez eux par les sentimens plus pacifiques de la bassesse raffinée de la cour. Telle est, à peu près, la condition du clergé chez toutes les nations de l'Europe ; et cependant on a reproché à la France la dissolution d'un pareil corps. On auroit aussi bien pu soutenir que, dans sa conquête du despotisme, elle auroit dû épargner les plus belles forteresses et les troupes les plus fideles de son adversaire. Tels étoient, dans le fait, les corps de la noblesse et du clergé. L'assemblée nationale assura la permanence de ses établissemens, en démantelant les forts, et en congédiant les troupes de ses ennemis vaincus.

Dans le peu de remarques faites ici sur la noblesse et le clergé de France, nous

____

(1) *Odium theologicum.*

nous sommes strictemeut bornés à leur caractere *politique* et *collectif*. M. Burke au contraire a fondé son éloquente apologie purement sur leur caractere *moral* et *individuel*. Cela est cependant tout-à-fait étranger à la question ; car nous ne disputons pas sur la place que les nobles ou les prêtres doivent occuper dans la société comme individus, mais comme corps. Nous n'examinons pas les démérites de citoyens qu'il faut punir, mais l'esprit d'un corps qu'il est politique de dissoudre. Nous ne disons pas que les nobles et les prêtres, pris individuellement, étoient de mauvais citoyens, mais nous soutenons qu'ils étoient membres de corps que l'on ne pouvoit conserver sans exposer la liberté publique.

L'aristocratie judiciaire, que formoient les parlemens, paroît encore moins susceptible d'union avec un gouvernement libre. Son esprit et ses prétentions étoient également incompatibles avec la liberté. Elle étoit imbue d'un esprit analogue à l'autorité sous laquelle elle avoit agi, et conforme à l'esprit arbitraire des lois qu'elle avoit interprêtées. Elle maintenoit ces pré-

.tentions vagues et indéfinies d'un droit à la législation , que la fluctuation du pouvoir du royaume avoit en quelque sorte sanctionné. L'esprit de *corps* étoit encore plus *concentré* et plus fort chez les membres qui la composoient, à cause de leur petit nombre , que chez les nobles et les prêtres ; et quelque degré de zele aristocratique que l'on attribue à la noblesse , on peut en disputer dix fois autant aux *magistrats annoblis*, qui regardoient leurs honneurs récens avec un enthousiasme de vanité , inspiré par cette vénération superstitieuse pour le rang , si naturelle aux nouveaux parvenus. Un peuple libre ne pouvoit pas former ses tribunaux d'hommes qui prétendoient à un contrôle sur la législature. Il y avoit trop long - tems que l'on souffroit des cours de justice , dont on achetoit légalement les charges ; des juges qui regardoient le droit d'administrer la justice comme une simple marchandise , ne pouvoient pas être les organes convenables de lois équitables , ni des magistrats propres à un état libre. C'est en vain que l'on allegue , avec M. Burke , les services passés des corps judiciaires. On ne sauroit nier que Montesquieu n'ait raison, quand il dit que, dans les mauvais gouvernemens, un abus en corrige souvent un autre. L'autorité usurpée des parlemens formoit, à la vérité, une espece de rempart contre les caprices de la cour. Mais quand l'abus est détruit, pourquoi conserver *le mauvais remede ?* Certainement la superstition allege le despotisme de la Turquie ; mais si on pouvoit élever un gouvernement raisonnable dans cet empire, il n'auroit pas besoin de l'assistance de l'Alcoran, ni des remontrances du mufti. Payons à de semblables établissemens le tribut de gratitude qu'il leur est dû pour leurs services passés ; mais quand ils cessent d'être utiles, canonisons - les par la mort, afin d'accorder à leurs admirateurs toute la plénitude d'une vénération posthume.

On peut considérer le gouvernement français comme ayant été composé des trois aristocraties, militaire, sacerdotale, et judiciaire. Dans l'examen que nous en avons fait, elles nous ont paru incorrigibles. Toute tentative d'amendement n'auroit produit (pour me servir des expres-

(95)

sions de M. Burke) « que de mauvaises
» réparations sur des ruines pompeuses ».
Elles n'étoient point perverties par la dé-
pravation accidentelle de leurs membres ;
elles n'étoient pas infectées d'aucune passion passagere, que de nouvelles circonstances pouvoient extirper. Le vice étoit
dans l'essence des institutions mêmes ,
qui étoient incompatibles avec un gouvernement libre. Mais on objecte : ces institutions auroient pu se réformer *graduellement.*(1). L'esprit de liberté s'y seroit
imperceptiblement glissé. La sagesse pro-
gressive d'une nation éclairée auroit remédié, avec le tems, à leurs défauts , sans
convulsion.

Je réponds avec confiance à ces argumens, *que ces institutions auroient détruit
la* LIBERTÉ, *avant que la liberté eût pu
changer leur* ESPRIT. Le pouvoir pousse
avec plus de vigueur, après ces légeres
coupes. Une foible réforme amuse et en-
dort le peuple ; l'enthousiasme s'évanouit,
et le moment d'une réforme efficace est
perdu pour toujours. On n'a jamais obtenu

____

(1) Voyez les réflexions de M. Burke, p. 248—52.

une importante amélioration politique dans un tems de tranquillité. Les intérêts corrompus des gouverneurs sont si forts, et le crédit du peuple est si foible, qu'il seroit inutile de s'y attendre. Si on laisse passer sans effet l'effervescence de l'esprit public, il seroit absurde d'attendre ensuite de la langueur, ce que l'enthousiasme n'auroit pu produire. Si l'on n'obtient pas, dans ces tems-là, une réforme complette, tout changement partiel est éludé et détruit dans la tranquillité qui succéde (1). La réforme graduelle qui fait la conséquence du grand principe posé dans la théorie spécieuse de M. Burke, est démentie par l'expérience de tous les siecles. Toute l'excellence, toute la liberté que l'on trouve dans les gouvernemens, y a été infusée par le choc d'une révolu-

---

(1) « Ignore-t-on que c'est en attaquant, en renver-
» sant tous les abus à la fois, qu'on peut espérer de s'en
» voir délivré sans retour ? = Que les réformes lentes
» et partielles ont toujours fini par ne rien réformer ;
» enfin que l'abus que l'on conserve devient l'appui et
» bientôt la restauration de tous ceux que l'on croyoit
» avoir détruits ». *Adresse aux français, par l'évêque
d'Autun.* — 11 février 1790.

tion ,

tion, et leurs progrès subséquens n'ont produit qu'une accumulation d'abus. C'est ce qui a fait reconnoître aux politiques les plus éclairés la nécessité de *rappeler souvent les gouvernemens à leurs premiers principes;* vérité également sentie de l'esprit pénétrant de Machiavel, par son expérience de la démocratie de Florence, et par ses recherches dans l'histoire des anciennes républiques. — Tout ce qui est bon doit être recherché dans le tems où l'ou peut l'obtenir. La voix publique, irrésistible dans un moment de convulsion, est méprisée avec impunité, quand elle n'est excitée que par cette léthargie dans laquelle tombent les nations, à cause du cours de leurs occupations ordinaires. L'ardeur de la réforme languit dans l'ennui, quand elle n'est pas soutenue. Elle périt dans des efforts impuissans contre des adversaires qui reçoivent une nouvelle force, par les progrès du jour. Nous le répétons : on ne doit attendre aucune grande amélioration politique de la tranquillité(1);

-----

(1) La seule exception apparente à ce principe, c'est quand les souverains font de grandes concessions pour

avec celle du calendrier grec), j'aime-
rois autant disputer sur la signification du
mot sacrilege que sur celle d'hérésie ou
de sortilege.

VI. Le sujet est si évident, qu'il n'y
auroit pas eu diversité d'opinions si la
question des biens du clergé n'avoit pas
été confondue avec celle des convenances
actuelles. Cette distinction , quoiqu'elle
n'ait été faite ni par M. Burke, ni par
M. de Calonne, est extrêmement simple.
L'Etat est propriétaire des revenus de l'é-
glise, mais sa foi est engagée envers ceux
qui sont entrés dans l'état ecclésiastique pour leur continuer ces revenus ,
dans l'espoir desquels ils ont abandonné
toute autre poursuite. On ne sauroit nier
le droit de l'Etat de régler par la suite,
selon sa volonté, les revenus des prêtres
futurs , mais on peut douter de sa compétence pour changer la fortune de ceux
à qui il a solemnellement promis un certain revenu pour la vie. Ces sujets dis-
tincts ont été confondus, afin que la pitié ,
pour des individus souffrans , pût influer
sur l'opinion touchant la question générale , afin que la sensibilité pour la dé-

de son gouvernement, et la faire, pour
ainsi dire, aller de pair avec les pays célebres, par leur liberté et par la bonté
de leur constitution. Ces concessions,
quoique contraires à la vérité, ne con-
vaincront pas l'assemblée. Par quel principe de raison ou de justice pouvoit- on
l'empêcher d'aspirer à donner à la France
un gouvernement moins imparfait que
ceux que le *hasard* avoit formés chez les
autres nations ? — Qui sera assez hardi
pour assurer qu'il est impossible de faire
une meilleure constitution qu'aucune de
celles qui sont déjà connues ? Les limites
de l'esprit humain, dans la science de
la politique seule, doivent- elles être esti-
mées par l'étendue de ses connoissances ?
La science la plus sublime et la plus difficile, celle de l'amélioration de l'ordre
social, du soulagement des miseres, de la
condition civile de l'homme, restera-t-elle
seule dans l'inaction, au milieu des progrès rapides de tous les autres arts mécaniques et libéraux vers la perfection ? Où
seroit donc le crime énorme de faire une
grande expérience pour connoître parfaitement le degré de liberté et de bonheur

où l'on peut atteindre par des institutions politiques ?

Ce crime (si c'en est un) peut être imputé à l'assemblée nationale de France. Mais on l'accuse d'avoir rejeté les lumieres de l'expérience, de s'être abandonnée à l'illusion de la théorie, et d'avoir sacrifié de grands biens qu'il étoit possible d'atteindre à des chimeres magnifiques d'une excellence idéale. Si cette accusation est bien fondée, si elle a véritablemeut négligé l'*expérience*, la base des connoissances humaines, et le guide des actions des hommes, sa conduite n'est plus digne d'aucune défense sérieuse ; et si (comme M. Burke l'a insinué plus d'une fois), elle avoue, et fait même parade de son mépris pour l'expérience, il n'étoit pas digne de lui d'avoir fait une si grande dépense d'esprit contre une folie si extravagante. Mais l'explication des *termes* diminuera notre surprise. — On peut considérer l'expérience, tant dans les arts que dans la conduite de la vie humaine, sous un double point de vue, ou comme perfectionnant des *modeles*, ou des *principes*. Un artiste qui forme une machine exactement comme son prédécesseur, est, *dans le premier sens*, dit être guidé par l'expérience. Dans ce sens-là, toutes les améliorations de la vie humaine sont des *écarts* de l'expérience. Le premier innovateur visionnaire fut le sauvage qui se bâtit une hute, ou qui se couvrit d'un haillon. Si c'est là ce que l'on appelle expérience, l'homme est réduit à l'état inaltérable des animaux irraisonnables.—Mais, selon le second sens, il est dit qu'un artiste est guidé par l'expérience, quand l'inspection d'une machine lui découvre des principes qui lui apprennent à l'améliorer; ou quand la comparaison de plusieurs machines, tant par rapport à leurs perfections qu'à leurs défauts, le mettent en état d'en former une plus parfaite, différente de toutes celles qu'il a examinées. Dans ce dernier sens, l'assemblée nationale a continuellement consulté l'expérience. L'histoire est un immense recueil d'expériences sur la nature, et les effets des différentes parties des différens gouvernemens. Il est des institutions que l'*expérience* a prouvé avantageuses, et d'autres irrévocablement injurieuses. Il en est une troisieme classe qui produit un bien partiel , et qui est néanmoins visiblement susceptible d'amé-lioration. Après une pareille revue , que devoit être le résultat de l'expérience éclairée ? — Ce n'étoit certainement pas de prendre pour modeles ces gouverne-mens où ces institutions sont ainsi mé-langées ; mais c'étoit , comme l'artiste , de comparer et de généraliser ; et ensuite , également guidé par l'expérience , d'imi-ter et de rejeter. La maniere de procéder, dans ces deux cas , est la même. Les droits et la nature de l'homme sont , par rap-port au législateur, ce que les propriétés générales de la matiere sont à l'artiste, son premier guide , parce qu'ils sont fondés sur l'expérience la plus étendue. On doit mettre au second rang les observations sur les perfections et sur les défauts des gouvernemens qui ont existé ; ce qui en-seigne la construction d'une machine plus parfaite. Mais l'expérience est la base de toutes. Non pas l'expérience rétrécie et machinale d'*un homme d'Etat de pro-fession ,* qui tremble au moindre change-ment dans les *tours* qu'on lui a enseignés, ou dans la *routine* par laquelle il est ac-coutumé de mouvoir, mais une expérience libérale et éclairée , qui consulte le témoignage des siecles et des nations , et en recueille les principes généraux qui reglent le mécanisme des sociétés.

Des législateurs ne sont pas dans l'obligation de consacrer une constitution , parce qu'ils l'ont trouvée « répondre *assez bien* » aux vues ordinaires du gouvernement ». Il est absurde d'*attendre*, mais il n'est pas absurde de *chercher* la perfection. Il est absurde de conserver des maux dont le remede est évident, parce qu'ils sont moins douloureux que ceux que les autres endurent. Supposer que l'ordre social est incapable d'amélioration , par les progrès de l'esprit humain , c'est afficher l'absurde inconséquence d'une présomption arrogante dans nos propres connoissances , et une méfiance abjecte de nos propres pouvoirs. Si vraiment la somme de maux produite par les institutions politiques , même dans les gouvernemens les moins imparfaits , étoit petite , il pourroit y avoir quelque prétexte pour cette crainte d'innovation , cette horreur pour les remedes , qui ont excité de telles clameurs dans toute l'Europe ; mais au contraire par une estima-

tion des sources des miseres humaines ;
après avoir accordé qu'une portion en
doit être attribuée aux maladies, et une
autre à des vices particuliers, on trouveroit peut-être qu'une *troisieme et égale*
portion vient des oppressions et des cor-
ruptions du gouvernement, déguisées sous
différentes formes. Tous les gouvernemens
qui existent à présent dans le monde (excepté celui Etats-Unis de l'Amérique) ont
été formés fortuitement. Ce sont les productions du hasard, et non pas l'ouvrage
de l'art. Ils ont été altérés, rendus pires,
ou meilleurs, et détruits par des circonstances accidentelles au-dessus de la prévoyance et du pouvoir des hommes. Leurs
parties, composées par des besoins particuliers, ne formoient pas un système
général. On ne devoit donc pas présumer
que ces *gouvernemens fortuits* surpassas-
sent les oeuvres de l'esprit, et anéantis-
sent toute possibilité ultérieure d'appro-
cher de la perfection. Leur origine fournit
sans doute une forte présomption d'une
nature opposée. Elle nous promet plusieurs principes discordans, plusieurs formes contradictoires, beaucoup de mal sans

mélange, et de bien sans perfection, plusieurs institutions qui ont survécu à leurs motifs, et plusieurs autres dont la raison n'a jamais été l'auteur, ni l'utilité l'objet. L'expérience même, dans le meilleur de ces gouvernemens, s'accorde avec cette promesse.

Il s'en falloit donc de beaucoup que la perfection d'aucune de ces formes de gouvernement ait pu faire rejeter un gouvernement de l'*art*, l'ouvrage de l'esprit législatif, élevé sur les bases immuables des droits naturels et du bonheur général, qui avoit recueilli toutes les beautés, et écarté tous les vices des différentes constitutions que le hasard avoit répandues dans l'univers ; au contraire leur injustice et leur absurdité le demandoient à haute voix. Il étoit tems que les hommes apprissent à ne plus rien tolérer d'ancien que la raison désapprouvé, et à ne plus craindre aucune nouveauté à laquelle la raison conduit. Il étoit tems que les facultés des hommes, si long-tems occupées d'objets subalternes, et d'arts inférieurs, marquassent le commencement d'une nouvelle époque dans l'histoire, en créant l'art d'amé-

liorer le gouvernement, et d'augmenter le
bonheur civil de l'homme. Il étoit tems,
comme on l'a dit avec beaucoup de sagesse
et d'éloquence, que les législateurs, au
lieu de ce cabotage circonscrit et lâche qui
n'ose point perdre de vue les usages et
les exemples, guidés par la boussole de
la raison, hasardassent une navigation plus
hardie, et découvrissent, dans des régions
inconnues, le trésor de la félicité publique.

La tâche des législateurs de France étoit
cependant moins incertaine. Les philosophes de l'Europe avoient, depuis un siecle,
discuté tous les objets d'économie publique. Une grande majorité de gens éclairés,
après plusieurs discussions sur les questions générales de politique, se trouvoient
de la même opinion. On avoit obtenu un
degré de certitude, peut-être aussi grand
qu'il est possible de l'obtenir sur de pareils sujets. L'assemblée nationale n'étoit
donc pas appelée pour faire des découvertes. Il suffisoit qu'elle ne fût pas inaccessible aux opinions ou à l'esprit de son
siecle. Elle avoit le bonheur d'exister dans
un tems où il ne falloit qu'apposer le sceau
des lois à ce qui avoit été préparé par les

recherches de la philosophie. On l'attaquera cependant ici par un lieu commun
très-futile. La *théorie* la plus réelle, dira-
t-on, est souvent impraticable, et toute
tentative de mettre en pratique dans les
Etats des doctrines de spéculation, est
folle et chimérique. Si l'on entend par
théorie de vagues conjectures, l'objection
n'est pas digne de discussion ; mais si par
théorie on entend une inférence de la nature morale et de l'état politique de
l'homme, alors je mets en fait que tout
ce qu'une pareille théorie déclare vrai, est
praticable, et que tout ce qui est impraticable sur ce sujet doit être faux. Revenons à l'éclaircissement sur les arts mécaniques. — On peut dire avec justesse
que la Géométrie est à l'égard des arts
mécaniques, ce qu'est la Philosophie abstraite à l'égard de la Politique (1). Les

----

(1) Je confesse que je dois cette comparaison à un
ami éclairé, qui, quoique justement admiré dans la
république des lettres pour ses excellens écrits, l'est
encore davantage par ses amis, pour la tournure d'esprit
riche, originale et mâle qui anime sa conversation.
« Mais le *continuateur* de l'histoire de Philippe III
n'a guere besoin de mes louanges.

forces morales employées en politique sont les passions et les intérêts des hommes dont il appartient à la Métaphysique d'enseigner la nature, et de calculer la jouissance, comme les Mathématiques calculent les pouvoirs mécaniques. Supposons donc qu'il ait été prouvé mathématiquement que, par le moyen d'un changement dans la construction d'une machine, elle auroit *quatre fois* plus d'effet, un mécanicien instruit hésiteroit-il à faire ce changement ? Seroit - il effrayé, parce qu'il a été le *premier* à en faire la découverte ? Sacrifieroit - il son propre avantage à l'aveuglement de ses prédécesseurs et à l'opiniâtreté de ses contemporains ? — Supposons, dis-je, toute une nation dont les artistes rejeteroient ainsi la théorie des perfections. La mécanique, comme *science*, y seroit profondément entendue, tandis que, comme *art*, elle n'offriroit que la rudesse et la barbarie. On pourroit fort bien enseigner dans les écoles les principes de Newton et d'Archimede, tandis que l'Architecture du pays ne présenteroit pas plus d'élégance que les chaumieres de la nouvelle Hollande, ou les canots des Esquimaux. L'Europe a continué dans un état de science politique à peu près semblable pendant une grande partie du dix-huitieme siecle (1).

Toutes les grandes questions de politique avoient été, comme nous l'avons remarqué, à peu près décidées, et presque toutes les décisions étoient défavorables aux institutions établies, & cependant ces institutions continuoient dans toute leur vigueur. Le même homme qui cultivoit dans son cabinet une science libérale, étoit forcé d'administrer au barreau une jurisprudence barbare. Le même Montesquieu qui raisonnoit à Paris comme

____

(1) Les abus des arts mécaniques ne favorisant aucune passion ni aucun intérêt, cedent toujours aux progrès de la science. Les abus de la politique, pour les raisons contraires, y résistent toujours. Hobbes remarque fort bien que si l'intérêt ou les passions s'étoient mêlées des discussions sur les théorêmes de géométrie, il y auroit eu des opinions différentes. Il est effectivement arrivé (comme pour justifier la remarque de ce grand homme) que, sous l'administration de Turgot, *une réforme dans les finances, fondée sur des démonstrations mathématiques, fut traitée de vision extravagance*; tant est prépondérante la sage préférence de la pratique à la théorie.

un philosophe du dix-huitieme siecle, étoit forcé de juger à Bordeaux comme un magistrat du quatorzieme. Les apôtres de la tolérance et les ministres de l'inquisition étoient contemporains. La question étoit encore en usage du tems des Beccaria. La bastille dévoroit ses victimes dans le pays des Turgot. Le code criminel, même chez les nations où il étoit le plus doux, étoit oppresseur & barbare. Les lois concernant les opinions religieuses, même dans les pays où il existoit une *prétendue* tolérance, outrageoient les conséquences les plus évidentes de la raison. Les vrais principes de la politique *commerciale*, quoique réduits à la démonstration, ne prévaloient dans les conseils d'aucun Etat. Tel étoit le spectacle bisarre qu'offroient les nations européennes, qui, philosophes dans la théorie, & barbares dans la pratique, présentoient à l'oeil de l'observateur deux perspectives opposées & inconséquentes de moeurs & d'opinions. Mais une pareille condition portoit avec elle les semences de sa propre destructio nLes hommes n'habitent pas long-tems des

chaumieres, quand ils ont devant les yeux
des modeles de palais.

Il existoit à peu près un semblable état
dans l'ancien monde. Mais l'art de l'imprimerie n'avoit pas encore fabriqué le
canal par lequel les opinions des savans
passent insensiblement dans l'esprit du
peuple. Il y avoit alors des barrieres entre
le grand corps des hommes et le petit
nombre de penseurs. C'étoient deux nations distinctes qui habitoient le même
pays, & les opinions de l'une (j'entends
comparativement avec les tems modernes)
avoient très-peu d'influence sur l'autre.
Mais ces barrieres sont actuellement ra-
sées. — Les vérités de la philosophie s'insinuent, par des progrès lents & assurés,
dans les sentimens du peuple. C'est en
vain que l'arrogance des savans veut condamner le peuple à l'ignorance, en ré-
prouvant les connoissance superficielles. —
Le peuple ne sauroit être profond ; mais
les vérités qui réglent les rapports politiques de l'homme ne sont pas bien éloignées de la surface. Le peuple ne peut
pas lire les grands ouvrages qui contiennent les découvertes, mais leur substance

passe par une variété de petits canaux tournoyans dans les boutiques & dans les hameaux. La conversion de ces ouvrages d'un éclat *infertile* en usages cachés , & en activité imperceptible , ressemble à la marche de la nature dans le monde extérieur. L'étendue d'un noble lac , le cours d'un fleuve majestueux en imposent à l'imagination par toutes les impressions de la grandeur & de la sublimité. Mais c'est l'humidité qu'ils exhalent insensiblement, qui , se mêlant graduellement avec le sol , entretient tout le luxe de la végétation , fertilise & orne la surface de la terre.

On peut remarquer que , quoique les opinions libérales aient existé si longtems avec les établissemens abusifs , il n'étoit pas naturel que cet état de choses fût permanent. Les philosophes de l'antiquité ne manquoient pas, comme ARCHIMEDE, d'un point d'appui où ils pussent fixer leur lévier , mais ils manquoient d'un lévier pour faire mouvoir le monde moral. Ce lévier c'est la presse , qui a assujetti le puissant au sage , en gouvernant l'opinion du genre humain. La discussion des grandes vérités a préparé un corps

de

de lois pour l'assemblée nationale. L'effusion des connoissances politiques a *presque* préparé une nation pour les recevoir,
et les amis de l'humanité peuvent au moins
concevoir l'*espérance* que les maux du
genre humain vont être allégés ; cette espérance pourroit être illusoire ; car le ter-
rain de ses ennemis est bien fort, *la folie*
& *la perversité des hommes*. Cependant
ceux qui entretiennent cet espoir, n'au-
ront pas honte de leur défaite , & n'en-
vieront pas les prédictions triomphantes
de leurs adversaires. *Me Hercule malim*
cum Platone errare. Quel que soit finalement le sort des révolutionaires de France,
les amis de la liberté les regarderont toujours comme les auteurs de la plus grande
tentative qui ait encore été faite dans la
cause du genre humain. Ils ne cesseront
jamais de se réjouir en voyant que, dans
le long catalogue de calamités & de crimes qui souillent les annales du monde,
l'année 1789 offre un passage sur lequel
l'oeil de l'humanité peut s'arrêter avec
plaisir.

H

SECTION II.

De la composition et du caractere de l'Assemblée Nationale.

LES ÉVÉNEMENS sont raremens séparés par l'historien du caractere de ceux
qui paroissent visiblement les conduire ;
c'est cependant de là qu'ils reçoivent la
teinte qui détermine leur couleur morale.
— Ce qui est admiré dans SULLY comme
une noble fierté, seroit regardé comme une
arrogance insupportable dans RICHELIEU.
Mais ce degré d'influence varie selon l'importance des événemens.—Dans les affaires
ordinaires de l'Etat, cette influence est
grande, parce que, dans le fait, elles ne
sont importantes pour la postérité qu'autant qu'elles illustrent le caractere de ceux
qui ont joué de grands rôles sur le théâtre
du monde. Mais dans les événemens, qui
sont eux-mêmes d'une immense grandeur,
le caractere de ceux qui les dirigent devient *relativement* de bien moins d'importance. On ne rejette pas aujourd'hui
sur la révolution de 1688 l'ignominie de

l'ingratitude de Churchill, ou de la trahison de Sunderland. La pureté de Somers et la perversité de Spencer, sont également perdues dans la splendeur de ce grand événement, dans le sentiment de ses bienfaits, et dans l'admiration de sa justice. Il ne nous reste dans l'esprit aucune autre impression morale que celle-ci : Quelle que soit la voix qui dit la vérité, ou la main qui établit la liberté, elle annonce les oracles et distribue les bienfaits de la Divinité.

Si cela est vrai, par rapport à la déposition de Jacques II, ce l'est bien davantage par rapport à la révolution française. Entre plusieurs circonstances qui distinguerent cet événement, dont il n'y a pas d'exemple dans l'histoire, la moins extraordinaire n'est pas celle que ce fut vraiment une RÉVOLUTION *sans chefs*. Elle fut l'effet de causes générales agissant sur le peuple. Ce fut la révolte d'une nation éclairée par une source commune. C'est de là qu'elle dérive son caractere particulier ; et c'est de là que le mérite des individus les plus distingués n'eut guere d'influence sur ses progrès. — Le caractere de l'assemblée nationale n'est, à la vérité, que d'une importance secondaire. Mais comme M. Burke a vomi tant d'invectives contre ce corps , il ne sera pas hors de propos de faire quelques remarques sur le compte qu'il en a rendu.

La représentation du tiers - Etat fut , comme il l'observe , composée de gens de loi, de médecins , de négocians, de gens de lettres, d'artisans , et de fermiers. Le choix fut limité par la nécessité; car le peuple ne pouvoit choisir que des personnes de ces professions , puisque la noblesse avoit accaparé toutes les places militaires et les bénéfices de l'Eglise. — « Il n'y avoit dans cette représentation au- » cune trace de propriétaires territoriaux ». — Pour une raison bien évidente , — parce que la *noblesse* de France , comme la *gentry* (gens comme il faut) d'Angleterre , possédoit presque exclusivement toutes les terres du royaume. — Il n'y avoit que les professions ci-dessus mentionnées qui pussent fournir des représentans pour le tiers-Etat.— Les personnes de cette description forment ce rang du milieu , où se trouve presque tout le bon sens et toutes les vertus de la société. Leur prétendue incapacité pour les affaires politiques est une fiction arrogante des hommes d'Etat, que l'histoire des révolutions a toujours démentie. Les grandes nécessités n'ont jamais manqué de créer des politiques. Les subtils conseillers de Philippe II furent défaits par les Bourgmestres d'Amsterdam et de Leyde. L'oppression de l'Angleterre fit naître une race d'hommes d'Etat dans ses colonies. Les gens de loi de Boston, et les planteurs de la Virginie furent transformés en ministres et en négociateurs, et ils ne furent pas inférieurs en sagesse aux législateurs, ni en adresse aux politiques. Ces faits nous démontrent que les pouvoirs de l'espece humaine ont été injustement dépréciés, les difficultés des affaires politiques artificieusement amplifiées, et qu'il existe une quantité de talens *cachés* parmi les hommes, qui s'éleve toujours au niveau des grandes occasions qui la requierent.

Mais la prépondérance de la profession de la loi, cette profession qui enseigne aux hommes « à prévoir de loin les abus » du gouvernement, et à sentir l'appro-

» che de la tyrannie dans chaque courant
d'air qui en a la moindre teinte » (1), fut
la source fatale , si nous voulons en croire
M. Burke , dont viennent tous les malheurs de la France. La majorité du tiers-
état étoit , à la vérité , composée de gens
de loi. Leurs talens oratoires , et leur habitude d'examiner les questions analogues à
celle de la politique , les rendoient les objets les plus propres au choix du peuple ,
sur-tout dans un Etat *despotique* , où la
spéculation de la politique ne faisoit pas
l'amusement du loisir de l'opulence. Mais
il ne paroît pas que la majorité fût composée des membres ignorans et mécaniques
de la profession (2). Par la liste des Etats
généraux , il semble que la majorité étoit
composée d'*avocats de province* ; ce qui
est bien différent de *procureurs de village* :
et ce n'est pas sur des idées anglaises qu'on
doit juger de leur importance.

Tous les talens éminens du Barreau ,

---

(1) Voyez le discours de M. Burke , sur les affaires de
l'Amérique , en 1775.

(2) Voyez en une liste exacte dans le supplément au
journal de Paris, du 31 mai 1789.

sont *ici* (en Angleterre) concentrés dans la capitale. Mais en France , l'institution des circuits n'existoit pas. Les provinces n'étoient qu'imparfaitement unies ; leurs lois étoient différentes ; leurs cours de judicature distinctes , et presque indépendantes. Douze parlemens formoient autant de cercles d'avocats , qui ne le cédoient pas en connoissances et en éloquence aux avocats de Paris. Cette dispersion des talens étoit , en quelque sorte , l'effet nécessaire de la vaste étendue du royaume. Aucun homme libéral ne donnera au Barreau d'Irlande ou d'Ecosse l'épithete de *provincial*, dans l'intention de le dégrader. Les parlemens de plusieurs provinces de France offroient un aussi vaste champ aux talens que les cours supérieures d'Irlande et d'Ecosse. Le parlement de Renne , par exemple , administroit la justice à une province qui contenoit deux millions trois cent mille habitans ; population égale à celle de quelques royaumes respectables de l'Europe. Les villes de Bordeaux , de Lyon , et de Marseille , surpassent en richesses et en population Copenhague , Stockholm , Pétersbourg , et Berlin. Tels

H 4

étoient les théâtres où les avocats provinciaux de la France acquéroient de la réputation. Une convention générale de
l'empire britannique donneroit peut-être
une place aussi distinguée à Curran et
à Erskine , et aux autres légistes éminens
de Dublin et d'Edimbourg, qu'à ceux de
la capitale : et c'est sur les mêmes principes que les *Thouret* et les *Chapelier*,
de *Rouen* et de *Rennes* , ont acquis une
aussi grande réputation dans l'assemblée
nationale, que les *Target* et les *Camus* , du
Barreau de Paris.

La preuve que cette influence « *professionnelle* » comme il plaît à M. Burke de
l'appeler, ne prévalut pas d'une maniere
nuisible , se trouve dans les décrets de
l'assemblée, touchant l'ordre judiciaire.
Selon son système , leur objet auroit dû
être de faire ce qu'il appelle « une cons
» titution litigieuse ». Ils ont tellement
fait le contraire , tous leurs décrets ont si
évidemment tendu à diminuer l'importance
des gens de loi, en facilitant les arbitrages, en adoptant les jurés, en diminuant
les dépenses et les longueurs des procès ,
par la destruction d'une jurisprudence

barbare et compliquée , et par la simplicité introduite dans toutes les procédures, que leur système a été accusé de tendre directement à éteindre la profession de la loi. C'est un système qui peut être condamné , comme conduisant à des excès imaginaires , mais que l'on ne sauroit accuser de se sentir trop fort des marques de la *chicane* ».

Aux avocats , outre les prêtres des paroisses que M. Burke appelle d'un ton méprisant , *curés de village* , étoient joints ces nobles qu'il accuse si séverement d'être des déserteurs de leur propre ordre. Cependant la partie de la noblesse , qui joignit d'abord les communes , et à laquelle ce titre appartient plus particulierement, n'étoit pas composée d'hommes dont les fortunes désespérées , et l'ambition perverse, pussent désirer des troubles dans l'Etat. On y trouvoit les chefs des plus anciennes et des plus opulentes familles de France : les Larochefoucault , les Montmorency , les Noailles. Parmi ces nobles étoit M. Lally , qui a reçu tant de louanges de M. Burke : et il sera difficile de trouver , dans un seul individu de ce corps, aucun intérêt contraire à la conservation de l'òrdre, à la sûreté des rangs et des propriétés.

Après avoir ainsi suivi M. Burke dans cette courte esquisse des différentes classes d'hommes qui composent l'assemblée, examinons ce qu'il avance sur l'esprit et les regles générales qui l'ont guidée, et qui, selon lui, ont présidé dans tous les événemens de la révolution. « Une cabale » d'athées, philosophes avoit conspiré l'a- » bolition de la religion chrétienne. Une » foule de capitalistes, qui s'étoient enri- » chis des calamités de la France, mé- » prisés par la noblesse, à cause de leur » origine, et odieux au peuple par leur » rapines, rechercherent l'alliance de ces » philosophes, par l'influence desquels, » sur l'opinion publique, ils vouloient se » venger de la noblesse, et se concilier » le peuple. Les athées devoient être gra- » tifiés de l'extirpation de la religion, et » les agioteurs des dépouilles des nobles » et du clergé. Les plus grands traits de » la révolution sont des preuves évidentes » de cette ligue entre l'impiété et la ra- » pine. L'établissement humiliant du clergé » est un premier pas vers l'abolition de la

» religion, et toutes les opérations finan-
» cieres ne sont destinées qu'à remplir
» les coffres des *capitalistes* de Paris ».
Telle est la théorie de M. Burke concernant l'esprit et le caractere de la révolution française. Ce ne sera cependant pas
une tâche bien longue ni bien difficile de
séparer la portion de vérité qui donne de
la plausibilité à son assertion, d'avec la
fausseté qui l'environne de toutes ses horreurs.

Les négocians, ou les gens à argent
(pris comme corps), ont, chez toutes les
nations de l'Europe, eu moins de préjugés, ont été plus libéraux et plus intelligens que les nobles terriers. Leurs idées
sont agrandies par une plus grande correspondance avec les hommes, et de là
l'immense influence du commerce pour policer le monde moderne. Il n'est donc pas
surprenant que cette classe d'hommes éclairés soit la plus ardente dans la cause de
la liberté, la plus zélée pour les réformes
politiques. Il n'est pas étonnant que la
philosophie trouve en eux des éleves plus
dociles ; et la liberté des amis plus chauds,
que chez une aristocratie hautaine, et

remplie de préjugés. La révolution de 1688
produisit la même division en Angleterre.
Les capitalistes furent long-tems la force
du *whigguisme*, tandis qu'une majorité
de propriétaires territoriaux étoient des
tories zélés. Il est digne de remarque que
les libellistes du parti *tory* accusoient les
whigs des mêmes desseins contre la religion, dont M. Burke accuse une partie
de l'assemblée. Ils prédirent la ruine de
l'Eglise, et même l'anéantissement du
monde chrétien, à cause de la multitude
d'hérétiques, d'infideles et d'athées que
le nouveau gouvernement d'Angleterre
protégeoit. Leurs pamphlets ont péri avec
le sujet qui leur avoit donné naissance ;
mais les talens et la réputation de Swift
ont conservé le sien, et il nous prouve
suffisamment l'analogie qu'il y avoit dans
les clameurs des ennemis de la révolution
anglaise, et celles des détracteurs de la
révolution française.

Que les philosophes, l'autre partie de
cette alliance peu commune entre l'opulence
et la littérature, dans cette nouvelle union
d'auteurs et de banquiers, aient préparé
la révolution par leurs écrits ; c'est ce

que ses admirateurs se font gloire d'a-
vouer (1).

Il est ici de peu d'importance de savoir
quelles étoient les opinions spéculatives
de ces philosophes sur des questions éloignées et abstraites. Ce n'est ni comme
athées, ni comme déistes qu'ils doivent
être considérés dans une révolution politique. Tous leurs écrits sur des sujets de
Métaphysique et de Théologie sont étran-

---

(1) La remarque de M. Burke sur les esprits-forts
d'Angleterre, est indigne de lui. Elle ressemble plutôt
à la fureur avec laquelle les prêtres enflamment la
bigoterie languissante de leurs fanatiques sectateurs,
qu'à la critique calme, naturelle et mâle d'un philosophe et d'un savant. S'il s'étoit bien informé parmi ses
amis lettrés, il en auroit trouvé plusieurs qui ont lu
et admiré l'incomparable traité de COLLIN, sur la liberté et la nécessité. S'il avoit jeté les yeux dans le
monde, il auroit trouvé des hommes qui lisent encore
les ouvrages philosophiques de Bolingbroke, non pas
comme de la Philosophie, mais comme des déclamations éloquentes et brillantes. Je ne *fais* aucune conjecture sur ce qu'il veut dire par « leurs successeurs ».
Je ne *veux* pas supposer que, semblable au D. HURD,
il regarde DAVID HUME comme « un *petit* dialecticien
du Nord » ! — Cependant il est difficile de le comprendre
autrement.

gers à la question. Si Rousseau a eu quelque influence pour exciter la révolution, ce n'est pas par ses *Lettres de la Montagne*, mais par *son Contrat social*. Si Voltaire a contribué à répandre en France une libéralité d'opinions, ce ne fut pas par *son Dictionnaire philosophique*, mais par sa défense de la tolérance. L'odieux de l'athéisme (s'ils étoient athées) leur est personnel. — Cela n'a aucun rapport avec la révolution ; car cet événement n'a pu ni être promu ni retardé par des discussions abstraites de Théologie. La supposition de leur conspiration pour abolir le Christianisme, est une des chimeres les plus extravagantes de l'imagination humaine. Admettons leur infidélité dans la plus grande latitude. Leur philosophie a dû leur apprendre que les passions raisonnables ou irraisonnables d'où vient la religion, ne pouvoient être déracinées du coeur de l'homme par aucune puissance humaine. — Leur incrédulité a dû les rendre indifférens sur la formule de religion qui pouvoit prévaloir. Ces philosophes n'étoient pas apôtres d'aucune nouvelle révélation, pour détruire la foi de

Jésus-Christ. Ils savoient que, sur ce sujet, le coeur n'admet pas de vuide, et ils n'avoient point d'intérêts à substituer le Vedam ou l'Alcoran à l'Evangile. Ils ne pouvoient avoir aucun motif raisonnable d'exciter une révolution dans la croyance publique. En désarmant le clergé, ils avoient rempli leur objet. Quel qu'ait été l'étendue de leurs spéculations privées, ce n'étoit pas contre la religion, mais contre le clergé que leurs batteries *politiques* étoient dirigées.

Mais, dit M. Burke, l'établissement humiliant des pensions, et de la constitution élective du clergé de France, est une preuve suffisante de leur dessein. On doit rendre les prêtres méprisables, pour détruire le respect du peuple pour la religion : et le chemin est ainsi frayé pour son anéantissement. Il est réellement amusant d'examiner les différens aspects sous lesquels le même objet se présente à différens esprits. — M. Hume maintient la politique d'un établissement riche, comme le prix de l'utile inaction du clergé. Il croit que par ce moyen les prêtres n'ont plus aucune tentation de chercher une domination dangereuse sur l'esprit du peuple , parce qu'ils en sont indépendans. Si ce Philosophe vivoit encore aujourd'hui, il auroit remarqué, par les mêmes principes, qu'un clergé électif et mal doté avoit une plus grande tentation d'exciter le fanatisme, que l'irréligion. Si les prêtres dépendent du peuple, ils ne peuvent conserver leur influence qu'en cultivant dans son esprit ces passions d'où provient leur ascendant. Leur unique influence vient des passions religieuses. Leur grand objet est donc d'irriter ces passions. Chez une nation de sceptiques, les prêtres seroient méprisables ; chez une nation de fanatiques , ils seroient tout-puissans. C'est pourquoi si l'habitude uniforme d'un clergé qui dépend de la cour est de pratiquer la bassesse, il seroit évidemment de l'intérêt d'un clergé qui dépend du peuple de cultiver un enthousiasme religieux. De petits revenus les disposeroient aussi davantage à tâcher de se consoler de la privation de ces jouissances mondaines dans l'exercice d'une autorité flatteuse sur l'esprit des hommes. Telles auroient été les réflexions d'un philoso-

phe

phe *indifférent* pour le christianisme dans la nouvelle constitution de l'Eglise galli- cane. Il n'auroit jamais pensé à rendre la religion peu populaire , en dévouant ses ministres à l'activité , méprisable en les forçant à la pureté , ou haïssable en la dépouillant de sa splendeur fastueuse. Il auroit vu dans ces changemens les germes de l'enthousiasme , et non pas ceux du relâchement. Mais il se seroit consolé , en réfléchissant que la dissolution du clergé , comme corps, a rompu la force des prê- tres , que la liberté religieuse illimitée désarmera l'animosité des différentes sectes , et que l'effusion des connoissances res- treindra les extravagances du fanatisme.

Je ne considere ici l'établissement de l'Eglise gallicane que comme une preuve d'un plan *supposé* pour anéantir le chris- tianisme. Je n'entre pas dans son mérite intrinseque. — Je joue donc le rôle d'un philosophe infidele ; et il me paroît qu'il auroit dû comprendre que la tendance de ce plan étoit directement contraire à celle que conçoit M. Burke (1). Il existe un fait

____

(1) Il m'est impossible de comprendre la théorie de

I

qui , quoique peu connu , démontre , pour
ainsi dire , l'évidence de la solidité de
ces spéculations. C'est véritablement plutôt l'esprit du *fanatisme*, que l'esprit d'irréligion qui a dicté l'organisation du clergé
de France. Il s'étoit formé , dans les parlemens de ce royaume , un parti *janséniste*, par leurs longues querelles avec les
jésuites et le siége de Rome. Les membres
de ce parti ont , par le moyen du bas-
clergé , obtenu , dans l'assemblée , la pré-

M. Burke sur les établissemens religieux. Il ne veut
pas adopter les raisonnemens impies d'Hume , et il ne
suppose pas, comme Warburton , une alliance entre
« l'*Eglise et l'Etat* »; car il semble les concevoir
comme ayant été originairement les mêmes. Quand
ses admirateurs ou lui voudront mettre ces posi-
tions (pag. 145 — 6 *de ses Réflexions*) en une série
de propositions précises et sans ornement , elles pourront devenir des objets d'argument et de discussion. Dans
leur état présent , elles rappellent forcément les observations de milord Bacon. « Pugnax enim philosophiæ
» genus et sophisticum illaqueat intellectum at illud
» alterum *phantasticum* et *tumidum*, et quasi *poëti-
» cum* magis *blanditur* intellectui. Inest enim homini
» quædam intellectûs ambitio non minor quam volun-
» tatis, præsertim *ingeniis altis* et *elevatis v.* Nov•
Org. LXV.

pondérance dans les affaires ecclésiastiques. De ce nombre est M. Camus. La
nouvelle constitution du clergé s'accorde
exactement avec leurs dogmes (1). Les
prêtres , selon leurs principes , doivent notifier à l'évêque de Rome leur
union pour la doctrine , mais ne reconnoître aucune subordination en matiere
de discipline. L'esprit d'une secte , pour
ainsi dire oubliée , reparoissant sous une
nouvelle forme, dans un moment si critique , les subtilités inintelligibles de l'évêque d'*Ypres* , influant de cette maniere
sur les institutions du dix-huitieme siecle ,
offrent un vaste champ de réflexions à un
observateur éclairé des affaires humaines.
Mais il suffit à notre objet de remarquer
le fait , et de faire connoître l'erreur d'attribuer à des desseins hostiles d'athéisme ce
qui provient de l'ardeur du zele religieux.

La constitution civile du clergé n'a fourni
aucune preuve de ce à quoi M. Burke a

____

(1) Voyez le discours de M. *Syeyes* sur la liberté
religieuse , où il reproche au comité ecclésiastique
d'abuser de la révolution pour faire revivre le *Port-
Royal* , fameux séminaire des *jansénistes.* Voyez aussi
M. CONDORCET , sur l'instruction publique.

tant attribué du systême de l'assemblée nationale. Examinons si une courte révision de ses opérations de finances remplira le vuide.

A ce sombre tableau des finances (1) de France, offert par M. de Calonne, opposons le rapport de M. de la Rôchefoucault, du comité des finances, le 9 décembre 1790, qui, de prémisses qui paroissent incontestables, conclut qu'il y a un *surplus* considérable de revenu pour l'année présente. Aucun parti n'a jusqu'ici attaqué la probité de ce personnage distingué. Il faut qu'un homme ait l'esprit singulierement tourné pour hésiter entre le duc de la Rochefoucault et M. de Calonne. Mais sans faire usage de cet *argumentum ad-*

______

(1) On peut remarquer que j'ai refusé d'entrer dans des détails sur les affaires de finances. Cela n'étoit pas nécessaire à mon objet, qui étoit d'examiner les arrangemens de revenus faits par l'assemblée, plutôt par rapport à sa PRÉTENDUE PERVERSITÉ, que par rapport à ses talens en matiere de finances. Je me borne donc à des remarques générales ; et je le fais avec d'autant plus de plaisir, que je sais l'habileté avec laquelle ce sujet sera traité par un homme que sa sagacité et sa grande connoissance des finances de France mettent en état d'exposer au public les erreurs de M. Burke.

verecundiam , nous devons remarquer qu'il y a des vices fondamentaux qui détruisent tous les calculs de cet ex-ministre, et conséquemment les raisonnemens que fait là-dessus M. Burke. Ils sont fondés sur une année de désordre, où l'industrie languit, et absurdement appliqués au revenu futur de tems paisibles et florissans. Ils sont faits dans une année où l'ancien revenu de l'Etat avoit été détruit, et dans laquelle l'assemblée avoit à peine commencé son projet d'impôts. C'est une erreur d'avancer que l'assemblée a aboli les taxes oppressives, qui formoient une si grande source de revenu. Ces taxes ont péri dans les derniers combats de l'agonie de l'ancien gouvernement. Aucune autorité existante alors en France n'auroit pu les maintenir. Il est impossible que des calculs ne contiennent pas des erreurs grossieres, lorsqu'ils sont fondés sur une époque, où tant d'impôts étoient anéantis , sans être remplacés par de nouveaux , et quand l'industrie productive, source de tous les revenus, étoit frappée d'une paralysie momentanée (1). M. Burke discute

____

(1) M. Burke triomphe du *déficit* de 191,000,000 l.

I 3

les talens de l'assemblée, en matieres de finances, avant qu'elle ait commencé son système de taxation. Il est prématuré d'examiner son plan général de revenu, ou d'établir des maximes générales sur la considération d'une période qui doit être regardée comme un interregne des finances.

La seule opération de finances que l'on peut regarder comme complette, est son émission d'assignats.—L'établissement d'un papier - monnoie, représentant les propriétés nationales, qui, en facilitant la vente de ces propriétés, devoit suppléer à l'absence du numéraire dans la circulation ordinaire. Les prédictions de ses ennemis ont, sur ce sujet, comme sur beaucoup d'autres, été complettement fausses. Ils avoient prédit qu'on ne trouveroit pas d'acheteurs assez hardis pour risquer leurs propriétés sur la sûreté d'un établissement nouveau et peu sûr : et les biens nationaux

---

. avoué par M. Vernier, en août 1790. Il fait suivre son triomphe d'une invective contre l'assemblée, qu'une simple réflexion auroit réprimée. La suppression de la *gabelle* seule pouvoit compter pour près de la moitié de ce *déficit* ! Son produit étoit estimé à 60 millions tournois, environ deux millions et demi sterlings.

ont été achetés, dans toute la France, avec la plus grande avidité. Ils avoient prédit que l'estimation de leur valeur seroit trouvée exagérée ; et ils se sont uniformément vendus le double et le triple de cette estimation. Ils avoient prédit que le dépréciation des assignats augmenteroit infailliblement le prix des choses de premiere nécessité, et retomberoit avec la plus cruelle sévérité sur la classe indigente de la société. L'événement a cependant prouvé que les assignats, soutenus dans leur crédit par la vente rapide des biens qu'ils représentoient, ont presque toujours été au *pair*, que le prix des denrées a diminué, et que les souffrances des indigens ont été considérablement allégées. Plusieurs millions d'assignats, déjà livrés aux flammes, forment la réplique la plus incontestable aux objections alléguées contre leur émission (1).

Plusieurs acheteurs, sans profiter des termes accordés pour les paicmens, ce qui étoit inévitable dans une vente si considérable, ont payé le tout comptant. C'est

____

(1) A présent presque *un tiers*.

précisément le cas des provinces du Nord, où les fermiers opulens ont été les principaux acheteurs : heureuse circonstance, quand elle ne tendroit qu'à augmenter cette classe d'hommes utiles et respectables, qui sont tout à la fois propriétaires et agriculteurs.

Les maux de cette émission, dans les circonstances de la France, étoient passagers, et ses effets bienfaisans étoient permanens. On devoit obtenir par-là deux grands objets, l'un de politique, et l'autre de finance. Le premier étoit d'attacher un corps nombreux de propriétaires à la révolution, de la stabilité de laquelle dépendoit la sûreté de leurs fortunes. C'est ce que M. Burke appelle les rendre complices des confiscations, quoique ce fût exactement la politique adoptée par les révolutionnaires anglais, quand ils favorisèrent l'augmentation de la dette nationale, pour intéresser un corps de créanciers à la permanence de leur nouvel établissement. Pour rendre l'accomplissement de l'autre grand objet, la liquidation de la dette publique improbable, M. de Calonne a été obligé d'avoir recours à un subterfuge

si grossier, que d'estimer le produit probable de la vente des biens nationaux à
deux milliars seulement, quoique les calculs les plus exacts le fassent monter à plus
du double. Il est plus que probable que
ces biens immenses vont bientôt délivrer
la France d'une grande partie de sa dette
nationale, écarter le poids d'impôts sous
lequel son industrie gémissoit, et lui ouvrir cette carriere de prospérité pour laquelle elle étoit si évidemment destinée
par la bonté de la nature. Outre ces grands
bienfaits, outre le remboursement de la
dette publique, et l'affermissement de la
liberté, cette opération, il faut l'avouer,
a produit quelques maux. Elle a, jusqu'à
un certain point, fait naître l'esprit du
jeu ; et cela peut donner trop d'ascendant
dans les corps municipaux aux agens de
la circulation du papier. Mais ces maux
sont passagers. Le moment qui verra l'extinction des assignats, par la vente de la
totalité des biens nationaux, les fera ces-
ser ; et cette période, selon l'expérience
que nous avons déjà, n'est pas fort éloignée. Il y avoit une considération qui,
pour des personnes instruites de l'éco-

nomie politique , auroit , depuis le commencement de l'opération , été décisive. La voici ; ou les assignats devoient, conserver leur premiere valeur , ou ils devoient la perdre. S'ils conservoient leur valeur , il ne pouvoit s'ensuivre aucun des maux appréhendés. S'ils la perdoient, chaque augmentation de discrédit devenoit un nouveau motif pour les échanger contre des biens nationaux. Personne ne voudroit garder un papier qui a perdu son crédit, lorsqu'il peut l'échanger contre des propriétés solides, Si on en employoit une grande partie à ces achats, le crédit de ceux laissés dans la circulation devoit augmenter sur le champ , tant à cause de la diminution de leur nombre , qu'à cause de la sûreté évidente du paiement. Leur baisse devoit hâter la vente des terres , et la vente des terres remédier à leur baisse. Leur discrédit , comme papier - monnoie , devoit augmenter leur activité , comme instrumens d'achats , et leur succès , comme instrumens d'achats , devoit leur rendre leur utilité comme papier-monnoie. *Cette* action et cette réaction étoient inévitables, quand même le léger discrédit des assignats n'auroit pas rendu leurs effets visibles en France.

M. Burke est tellement irrité contre les mesures de l'assemblée concernant les biens du clergé, que même les institutions monastiques ont trouvé en lui un avocat zélé. Examinons les argumens dont il se sert en faveur de ces monumens de l'extravagance humaine. Pour soutenir une opinion si singuliere, il offre une raison de *morale* et une de *commerce* (1). « Dans les » institutions monastiques, selon lui, on » trouvoit un grand *pouvoir* pour le mé-» canisme de la bienveillance politique ». — « Détruire un *pouvoir*, excroissant par » la seule force productrice de l'esprit » humain, dans le monde moral, c'est » comme si l'on détruisoit les propriétés » en apparence actives des corps, dans le » monde physique. En un mot, l'esprit et » les institutions du monachisme étoient » des instrumens dans la main du législa-» teur, qu'il auroit dû convertir à quelque » usage public ». J'avoue que je partage moi - même l'aveuglement de l'assemblée

______

(1) Burke, pag. 232—41.

nationale , au point que je ne saurois former la plus petite conjecture des différens usages qui se sont offerts à un esprit intelligent. Mais sans nous étendre sur ces usages, essayons de faire réponse à ses argumens , selon des principes plus généraux. Les pouvoirs moraux , par lesquels un législateur fait mouvoir l'esprit de l'homme , sont ses passions ; et si le fanatisme insensé qui peupla d'abord les déserts de la haute - Egypte d'anachoretes , eût encore existé en Europe , le législateur auroit dû essayer de *diriger* un esprit que l'humanité lui défendoit de persécuter , et la sagesse de négliger. Mais il y a des siecles que les institutions monacales survivent à l'esprit qui les a fait naître. Il n'étoit pas nécessaire qu'aucune législature détruisît « ce pouvoir excroissant par la » seule force productive de l'esprit hu- » main » , dont le monachisme étoit sorti. Il avoit été aussi passager que toutes les autres passions folles , et qui ne sont pas dans la nature. Il languit dans le discrédit des miracles , et dans l'absence de la persécution , et se fondit graduellement au soleil de la tranquillité et de l'opulence , si long-tems possédées par le clergé. L'ame du monachisme avoit fui. Il n'en restoit plus que le squélette , pour défigurer la société et lui être à charge. — Là où les cavernes du fanatisme n'étoient pas devenues les retraites de la sensualité , elles étoient converties en étables d'indolence et d'apathie. Le pouvoir moral n'existoit donc plus ; car l'esprit par lequel seul le législateur auroit pu faire mouvoir ces corps, n'étoit plus. C'est pourquoi la production du fanatisme n'étoit pas propre à être l'instrument de la sagesse. Il n'avoit pas non plus succédé de nouvel esprit qui pût servir d'instrument dans la main de la science législative. Ces frénésies éphémeres ne laissent après elles que des productions *sans vigueur*; de même que lorsque la fureur et l'éclat de l'éruption d'un volcan sont passés depuis des siecles , il reste encore une masse de *lava* , qui ambarrasse le sol et défigure l'aspect de la terre (1).

____

(1) M. Burke avance , comme une espece de défense incidente du monachisme, qu'il y a plusieurs genres d'industrie dont la bienveillance auroit plutôt dû déli-

La vente des biens des moines est en‑
core attaquée par M. Burke, sur des prin‑
cipes de commerce. La somme de ses ar‑
gumens se réduit à ceci. Le surplus des
productions de la terre forme le revenu

---

vrer les hommes, que de la tranquillité monastique.
Cela est vrai, sous un point de vue ; mais quoiqu'il
faille que les lois *permettent* ces progrès naturels qui
produisent cette espece de travail, s'ensuit-il qu'elles
doivent créer la retraite monacale ? L'existence d'une
source de miseres est - elle une raison pour en ouvrir
une autre ? Parce qu'il est *nécessaire* de tolérer des
travaux nuisibles, doit - on *sanctionner* l'inutilité for‑
cée ? il y a plusieurs autres exemples, dans l'ouvrage
de M. Burke, de cette mauvaise logique. Il argumente
de ce que la société est *obligée* de souffrir à ce qu'elle
doit faire. « Nous ne trouvons pas en Angleterre, dit-
il, » que 10,000 guinées de rente soient moins bien
» placées entre les mains d'un évêque qu'en celles d'un
» baron ou d'un écuyer ». Dans les deux cas, l'iné‑
galité excessive est un grand mal. Les lois *doivent*
permettre à la propriété de s'accroître, selon le cours
des choses. Mais doivent-elles ajouter un nouveau mal
factice à ce mal naturel et sans remede ? Elles ne sau‑
roient empêcher l'inégalité des revenus, parce qu'il
faut qu'elles souffrent que la propriété se divise elle-
même. Mais elles peuvent remédier à l'inégalité excesisve
du revenu des *charges*, parce qu'elles créent et les charges
et leur revenu.

du propriétaire territorial. Il faut que la dépense de quelqu'un disperse ce surplus; et qu'importe à la société qu'il circule par le moyen d'un seul propriétaire, ou par celui d'une société de moines. Une courte exposition de la question va nous fournir une réplique sans réponse. Les richesses de la société sont la masse des productions de son travail. Il faut, à la vérité, des consommateurs inutiles; mais plus le nombre en est petit (*toutes les autres choses étant les mêmes*), plus l'Etat doit être opulent. Supposons que la possession d'un bien, par une société de moines, entretienne quarante consommateurs inutiles, la possession du même revenu, par un seul propriétaire, n'en entretiendra qu'un. Il est donc évident qu'il y a quarante fois plus de travail soustrait à la masse commune, dans le premier cas que dans le second. Si l'on objecte que les domestiques d'un propriétaire sont des gens inutiles, on doit remarquer que les monasteres ont aussi leurs domestiques ; que tous ceux d'un laïque ne sont pas toujours inutiles , parce que plusieurs d'entre eux deviennent fermiers et artisans : et on doit

observer sur-tout que plusieurs d'etre eux
sont mariés. — En considérant ce sujet sous
un point de vue commercial , rien n'est
donc plus clair et plus évident que la différence entre un propriétaire laïque et des
moines propriétaires. Il est certainement
inutile d'en appeler aux motifs qui ont
par-tout produit les lois de *main - morte ,*
à la négligence que l'on apperçoit dans la
culture des terres possédées par les corporations ecclésiastiques , et à l'utilité in-
finie qui provient des mutations de propriétés territoriales. La surface des pays
où ces changemens ont été les plus fré-
quens , nous prouvera suffisamment leur
avantage. Les hommes achetent rarement
sans fortune , et la nouveauté de leurs
acquisitions leur inspire le goût de l'amélioration.

Il n'y a pas le moindre doute que les
biens du clergé n'augmentent immensé-
ment en valeur. Il est ridicule de dire
qu'ils vont être transférés à des agioteurs.
Ce ne sont pas les noms , mais les situations qu'il faut considérer dans les affaires
humaines. Celui qui a une fois goûté l'indolence et l'autorité d'un propriétaire de
terres ,

terres , ne retournera qu'avec difficulté à la servitude comparative et aux travaux d'un capitaliste. Mais quand même l'acquéreur immédiat seroit l'usurier le plus invétéré, son fils sucera en naissant les sentimens d'un propriétaire territorial. L'héritier de l'*Alphée* , agioteur , peut aussi bien acquérir les habitudes d'un habile cultivateur de son patrimoine , que les enfans de *Cincinnatus* ou de *Caton.*

Pour soutenir la foiblesse de ses argumens , M. Burke a produit une énumération pompeuse des objets auxquels on employoit les revenus des monasteres. Il est impossible d'accorder trop de louanges à ce chef-d'oeuvre de l'éloquence la plus persuasive et la plus magnifique. Il auroit été cité par Quintilien comme un brillant modele de lieux communs de Rhétorique. Mais notre objet n'est pas de critiquer ; et tout ce que le pouvoir oratoire peut suggérer sur un pareil sujet, est peut-être ce qui auroit dû faire la devise de l'ouvrage de M. Burke.

Addidit *invalidæ* robur *FACUNDIA causæ.*

K

SECTION III.

Excès populaires qui ont accompagné la révolution.

UNE vérité que personne ne sauroit nier, c'est que les grandes révolutions entraînent toujours après elles une multitude d'excès et de calamités. Cette vérité est encore plus particulierement évidente dans les révolutions qui, comme celle de France, sont strictement *populaires*. Lorsque le peuple est dirigé par une faction, ses chefs n'ont aucune difficulté à rétablir l'ordre, qui doit être l'objet de leurs désirs, parce que c'est la seule sûreté de leur pouvoir. Mais quand un mouvement général de l'esprit du peuple renverse un despotisme invétéré, il est moins facile d'empêcher les excès. Il y a plus de vengeances à assouvir, et moins d'autorité pour contrôler. La passion, qui a produit un effet si formidable, est trop violente pour passer subitement au calme et à la soumission. L'esprit de révolte paroît avec une fatale violence, lorsque son objet est détruit, et tourne contre l'ordre de la liberté ces armes avec lesquelles il avoit subjugué la force de la tyrannie. La tentative de *punir* l'esprit qui fait agir un peuple, seroit vaine, si elle étoit juste, et cruelle, si elle étoit possible. Un peuple est trop *nombreux* pour être puni sous le point de vue de la justice, et trop *fort* pour l'être sous celui de la politique. L'ostentation de la vigueur prouveroit, dans un pareil cas, le manque de puissance, et la rigueur de la justice conduiroit à la cruauté de l'extirpation. Il ne reste donc aucun autre remede que les progrès de l'instruction, la force de la persuasion, la douce autorité de l'opinion. Ces remedes, quoiqu'infaillibles, n'operent que lentement ; et dans l'intervalle qui s'écoule avant que le calme succede aux momens orageux de la révolution, on ne doit guere s'attendre qu'un peuple, accoutumé à la barbarie par ses oppreseurs, et qui a des siecles d'oppression à venger, sera extrêmement généreux dans son triomphe, ou bien délicat dans le choix de ses victimes, ou fort doux dans ses représailles.

K 2.

« Il brisera ses chaînes sur les têtes de ses
» oppresseurs » (1).

Telle étoit la condition de la France ,
et telles furent les causes évidentes qui
ont donné naissance à des scenes que les
amis de la liberté déplorent, comme ayant
terni son triomphe. Ils sont *sensibles* à
ces maux , par humanité. Mais ils n'accordent pas ce nom à cette sensibilité. de
femme et de complexion , qui , dans le
cours ordinaire de la vie privée , a toujours une sorte d'*indulgence* mêlée d'a-
mour. La seule humanité , qui , dans les
grandes affaires des hommes , mérite leur
respect , est cette humanité étendue et
mâle , qui ne détourne jamais les yeux de
l'objet du bonheur général. La sensibilité
qui foiblit à l'aspect d'un mal présent ,
sans étendre ses regards jusqu'au bien à
venir , n'est pas une vertu , parce que ce
n'est pas une qualité utile au genre humain : elle arrêteroit le bras d'un chirur-
gien , qui coupe un membre gangrené ,

____

(1) Expression éloquente de M. Curran , dans le parlement d'Irlande , touchant la révolution.

ou la main d'un juge , qui signe la sen-
tence d'un parricide. Je ne dis pas (à Dieu
ne plaise !) qu'on puisse commettre un
crime dans la vue d'un bien futur. Une
pareille doctrine ébranleroit la morale jus-
ques dans son centre ; mais le cas des révolutionnaires de France est tout différent. Aucun moraliste a-t-il jamais prétendu *que nous devions abandonner la poursuite d'un bien que notre devoir prescrit ,
parce que nous nous appercevons qu'il
en résultera quelque mal partiel ?* Voilà
le vrai point de vue de la question : et
ce n'est que par ce principe que nous devons estimer la responsabilité des chefs de
la révolution sur les excès qui l'ont accom-
pagnée.

Si quelques - uns de ces chefs ont eu
des crimes en vue pour obtenir leurs fins,
je les abandonne à une censure et à une
exécration méritées. L'homme qui voudroit ériger la liberté sur les ruines de la
morale , n'entend ni l'une ni l'autre. Mais
le nombre de ceux contre lesquels ces
insinuations ont été dirigées est si petit ,
qu'en supposant (ce que je ne crois pas)
qu'elles soient vraies , cela prouve seule-

ment qu'il y a, dans de grauds corps, des
hommes corrompus et ambitieux. La question, quant au resté, se réduit à ceci. —
« Devoient-ils s'abstenir d'établir un gou-
» vernement libre, parce qu'ils prévoyoient
» que cela ne pourroit pas s'effectuer sans
» désordre et sans des maux momentanés?
» — Devoient - ils être détournés de la
» poursuite de cette constitution qu'ils
» croyoient la plus propre à leur patrie,
» par la perspective de maux partiels et
» passagers, ou se consoler de ces cala-
» mités par la perspective du bonheur que
» leurs travaux devoient finalement établir
» et assurer »? Un minitre n'est pas censé
coupable d'une immoralité systématique,
parce qu'il balance les calamités de la
plus juste guerre avec la sûreté de la nation, produite par la réputation du cou-
rage et de la force ; le patriote ne l'est
pas davantage, lorsque, pesant les maux
d'une anarchie passagere avec le bien inestimable d'une liberté établie, il trouve
que le dernier l'emporte dans la balance.

Tels, en effets, ont toujours été les
raisonnemens des chefs, dans ces insurrec-
tions qui ont conservé les restes de la li-

berté, qui existent encore dans le monde.
La Hollande, l'Angleterre, l'Amérique
ont dû raisonner de cette maniere, et les
différentes portions de liberté dont elles
jouissent ont été achetées par de bien plus
grands maux que la France n'a soufferts. Il
est inutile d'en appeler aux guerres qui,
pendant près d'un siecle, ont affligé des
Pays-Bas. Mais il sera peut-être à propos
de rappeler à l'Angleterre ce qu'il lui a
couté pour l'établissement de sa constitution.

La contestation pour la succession, à laquelle cet événement donna lieu, produisit
une guerre civile ruineuse en Irlande,
deux rebellions en Ecosse, dont les conséquences furent le massacre et l'exil de
milliers de citoyens, avec la plus ample
confiscation de leurs biens; sans parler
des alliances continentales, dans lesquelles
elle plongea l'Angleterre, les guerres étrangeres qu'elle lui suscita, et la nécessité où
elle la mit, de maintenir une armée de ligne, et de contracter une énorme dette (1).

____

(1) Cependant cela n'étoit que le combat de la raison
et de la liberté contre un seul préjugé, celui d'un droit

« La liberté de l'Amérique fut achetée par des maux encore plus grands. Les auteurs de la révolution ont dû les prévoir, parce qu'ils n'étoient pas dépourvus de moyens, mais au contraire prêts à y faire face au moment où l'orage creva sur leurs têtes. Leur cas est parfaitement semblable à celui de la France, et peut servir de réponse aux argumens les plus triomphans de M. Burke. Ils jouissoient de *quelque* liberté que leurs oppresseurs n'attaquoient pas. L'objet de leur résistance fut accordé dans les progrès de la guerre. — Mais, semblables à la France, après les concessions de son roi, ils refuserent d'accepter une liberté imparfaite, lorsqu'il étoit en leur pouvoir d'en obtenir une plus parfaite. Ils poursuivirent ce que M. Burke, *quels qu'aient alors été ses sentimens,* doit, selon son *présent* systême, réprouver, comme un bien spéculatif et chimérique. Ils chercherent leur favorite

---

héréditaire (au lieu que la révolution française, comme l'a fort bien dit l'évêque d'Autun, est « le premier » combat qui se soit jamais livré entre TOUS LES PRINCIPES » ET TOUTES LES ERREURS ». (— *Adresse aux Français,* 11 *février* 1790.)

indépendance à travers les nouvelles calamités, et les horreurs prolongées d'une
guerre civile. — « Leur résistance », *depuis ce moment - là*, » fut contre la con-
» cession. Leurs coups étoient dirigés con-
» tre une main qui offroit des immunités
» et des faveurs ». — L'événement a justifié cette noble résistance. L'Amérique
est sortie de cet état de désordre, pour
passer dans celui de la tranquillité et de
la liberté, de l'abondance et du crédit. —
Les auteurs de sa constitution ont fait une
réponse expérimentale, grande et perma-
nente, aux sophismes et aux déclamations
des détracteurs de la liberté.

Mais quelle proportion y a-t-il entre le
prix d'un si grand bienfait et les maux
passagers qui ont affligé la France ? —
L'extravagance de la comparaison choque
tout homme sans préjugés. Il ne se trouve
dans l'histoire aucune suite d'événemens
qui ait été si malicieusement et si systématiquement exagérée que l'ont été les
commotions de la France. Un corps irrité,
nombreux, et opulent d'émigrés, dispersé
dans toute l'Europe, s'est emparé de toutes
les presses vénales, et a étourdi toutes

les oreilles d'un bourdonnement perpétuel des crimes et des horreurs qui se commettoient en France (1). Au lieu d'entrer dans un examen minutieux, dont le peu d'importance ne payeroit ni l'ennui ni la peine, contentons-nous d'opposer un fait général à cette armée de mensonges. *Aucune maison importante de commerce n'a manqué en France depuis la révolution !* —Comment cela s'accorde - t - il avec les contes que l'on a débités ? Autant vaudroit-il dire que les effets de la *bourse de Londres* se sont vendus fort tranquillement pendant l'anarchie féroce de *Gondar*, et que la paisible opulence de *Lombard-Street* (*rue des Lombards*) a fleuri au milieu des *hordes*

---

(1) Les manœuvres de M. de Calonne, en Angleterre, sont trop évidentes, par la nature de quelques journaux. Il nous informe qu'il a eu une fois dessein d'insérer dans une note, à la fin de son ouvrage, des extraits des papiers publics de toutes les nations de l'Europe, pour démontrer l'horreur générale qu'inspiroit la révolution française. Cette note auroit été d'autant plus amusante, *que probablement tous ces paragraphes étoient composés et envoyés à ces papiers par M. de Calonne lui-même,* — qui se seroit ainsi rendu l'organe de l'Europe.

de *Galla* et d'*Agows*. — Le commerce, qui tremble au moindre souffle des désordres civils, a résisté à cette tempête, et une grande révolution s'est effectuée avec moins de dérangemens commerciaux que n'auroit produits la banqueroute d'une maison du second ordre à Londres ou à Amsterdam. Les manufactures de Lyon, les négocians de Bordeaux et de Marseille se taisent au milieu des lamentations de l'abbé Maury, de M. de Calonne, et de M. Burke. Heureux le peuple dont le commerce fleurit dans son *grand livre*, tandis qu'on le plaint dans des oraisons, et qui n'est pas affecté dans ses *calculs*, tandis qu'il expire dans les tableaux de l'éloquence. Ce fait incontestable vaut sur ce sujet mille argumens, et doit exposer dans leur vrai jour, à un esprit en état de juger, ces exécrables calomnies qui ont excité une telle rumeur dans toute l'Europe,

Mais admettons-en pour un moment la vérité, et prenons pour échantillon des maux de la révolution le nombre de vies perdues dans ses progrès. Afin de ne laisser aucune possibilité de chicane, faisons monter plus haut notre estimation que celle de la fausseté la plus audacieuse. Faisons une estimation , dont le plus effronté des écrivains , aux gages de Calonne , auroit honte. Supposons , pour un moment, que , dans le cours de la révolution , il soit péri 20,000 hommes. En comparant même cette perte avec les événemens semblables dans l'histoire, y a-t-il quelque chose qui puisse faire reculer une humanité mâle et éclairée ? Peut-elle être comparée au carnage qui a établi la liberté américaine , ou avec les suites de la révolution anglaise ? Mais cette comparaison ne rend pas justice à l'argument. Il faut la comparer avec cette effusion de sang occasionnée par les guerres ordinaires , dont l'objet étoit souvent quelque poursuite ignoble et pernicieuse. Il faut la comparer avec le sang que répandit l'Angleterre dans sa tentative de subjuguer l'Amérique ; et si tel est le crime des révolutionnaires de France , pour avoir , au *risque* de cette perte , combattu pour l'établissement de la liberté , quelle nouvelle épithete injurieuse accorderons - nous au ministre d'Angleterre , qui , avec la *certitude* d'une perte bien plus considérable , tenta l'établissement de la tyrannie.

L'illusion, qui empêche les effets de ces comparaisons, n'est pas particuliere à M. Burke. Les massacres de la guerre et les meurtres commis par le glaive de la justice, sont défigurés par la solennité qui les accompagne. Mais la justice sauvage du peuple a une horreur nuë et sans déguisement. Ses plus légers efforts excitent toute notre indignation, tandis que le meurtre et la rapine, revêtus des ornemens pompeux des actes de l'Etat, peuvent paroître avec impunité dans le monde. Sous cette forme, ils n'affectent pas notre sensibilité, et nous oublions que les maux de l'anarchie ne peuvent être que de courte durée, tandis que ceux d'un gouvernement despotique sont permanens.

Une autre illusion a singulierement favorisé, en Angleterre, les exagérations des émigrans. Nous jugeons de la France par notre propre situation. C'est voir les choses sous un faux point de vue. Nous ne devons la juger que comparativement aux autres nations *dans les mêmes circonstances.* Chez nous, « les tems, peut-être, » sont modérés (1), et conséquemment doi-

____

(1) *Junius.*

» vent êtrè tranquilles » : mais en France, les tems n'étoient pas modérés, et ne pouvoient pas être tranquilles.

Corrigeons l'illusion des *lunettes morales*, qui nous font paroître les objets proches si disproportionnés. Plaçons la scene de la révolution française dans un siecle éloigné, ou chez une nation éloignée : et alors consultons paisiblement notre esprit, et demandons - lui si ce qui doit faire le plus grand sujet de notre surprise, n'est pas sa douceur sans exemple, et le petit nombre d'individus que la chute d'un tel colosse a écrasés.

Telles sont les réflexions générales que suggerent les désordres de la révolution française. Le premier et le plus important fut l'insurrection des Parisiens, et la prise de la Bastille. La maniere dont M. Burke a traité cet événement mémorable, est digne d'attention. Il n'occupe aucune place distinguée dans son ouvrage. Il en parle seulement d'une maniere obscure et méprisable, comme d'un de ces exemples de révoltes heureuses, qui ont nourri un esprit d'indiscipline parmi les soldats. « Ils » n'ont pas oublié la prise des CHATEAUX

» du roi à Paris et à Marseille. Ils se rap-
» pellent que , dans ces deux places , ils
» ont massacré les gouverneurs avec im-
» punité ». (*Burke , pag.* 307—8) Telle
est la galante périphrase par laquelle M.
Burke désigne la Bastille , — *le château
du roi à Paris* Tel est le langage ignominieux dont il parle de la justice sommaire exercée contre l'assassin *décoré* qui
en étoit gouverneur; et tel est l'art ap-
parent avec lequel il a jeté , dans les om-
bres de son tableau , l'invective et l'injure ; parce que si elles avoient été dans
un plus grand jour, elles auroient provoqué l'indignation du genre humain.

« *Je sais* , dit Mounier , dans le style de
cette froide approbation qui lui est arra-
chée , » *qu'il est des circonstances qui lé-*
» *gitiment l'insurrection ; et je mets dans*
» *ce nombre celles qui ont causé le siége*
» *de la Bastille* ». (*Exposé de Mounier ,*
pag. 24). Mais l'admiration de l'Europe
et de la postérité ne doit pas être estimée
selon les modiques applaudissemens de
Mounier , ni réprimée par les hostilités
insidieuses de M. Burke. Elle sera analogue à la splendeur d'une insurrection ,

aussi illustrée par l'héroïsme, que justifiée par la nécessité, dans laquelle les citoyens de Paris, les habitans paisibles d'une capitale voluptueuse, sourds à toute autre voix qu'à celle qui menaçoit leurs représentans, leurs familles, et leur patrie, animés, au lieu d'être épouvantés par les armées de troupes disciplinées qui les environnoient de tous côtés, se formerent en armée, attaquerent, avec une bravoure et un succès également incroyables, une forteresse formidable, dissiperent tout projet hostile, et changerent la destinée de la France. Vouloir pallier ou excuser une pareille révolte, c'est bassement trahir ses principes. C'est un cas où la révolte étoit dictée par la vertu et par le devoir, et où la soumission auroit eu la bassesse la plus ignominieuse du plus grand crime. C'est une action qu'il ne faut pas excuser, mais applaudir; qu'il ne faut pas pardonner, mais admirer. Je ne m'amuserai donc pas à défendre des actes d'héroïsme que l'histoire apprendra à la postérité la plus éloignée à révérer, et dont le récit est destiné à allumer dans des millions d'êtres à venir le saint enthousiasme de la liberté.

Des

Des commotions d'un autre genre suivirent de près la révolution, provenant, en
partie, des causes générales ci-dessus mentionnées, et en partie d'autres causes d'une
nature plus limitée et plus locale. Les
paysans des provinces, ensevelis depuis
tant de siecles dans les ténebres de l'esclavage, ne virent qu'indistinctement et
confusément, à la lueur de la liberté naissante, les bornes de leurs devoirs et de
leurs droits. Il n'étoit pas surprenant qu'ils
entendissent si peu cette liberté, si long-
tems éloignée de leurs yeux. Le nom seul
leur fit croire que c'étoit un droit de rejeter
toute restriction, de gratifier toute espece
de ressentiment, et d'attaquer toutes les
propriétés. Des brigands se mêlerent avec
les paysans trompés, dans l'espoir d'obtenir du butin, et irriterent leur ignorance et leurs préjugés par de faux actes
du roi et de l'assemblée, pour autoriser
leur licence. De ces circonstances, il ré-
sulta bien des maux dans les provinces.
Les châteaux de plusieurs seigneurs furent
brûlés, et quelques personnes suspectes
assassinées. Mais on peut bien, sans être

L

un sceptique, douter si ce sont les *châ-teaux* des *maîtres les plus doux*, qui ont éprouvé cette destinée. Peut-être les paysans avoient des oppressions à venger, de ces oppressions sourdes et assommantes, qui forment presque toute la correspondance du riche avec l'indigent, qui, quoiqu'elles soient moins visibles que celles du gouvernement, produisent des calamités plus insupportables et plus fréquentes.

Mais quel que soit le démérite de ces excès, il ne sauroit, en aucune maniere, être imputé à l'assemblée nationale, ou aux chefs de la révolution. Comment pouvoient-ils les réprimer? S'ils avoient usé de leur autorité avec trop de rigueur, ils auroient excité une guerre civile; s'ils avoient donné de la force à la police et aux tribunaux de l'ancien gouvernement, outre qu'ils auroient couru le risque de voir continuer les mêmes excès, ils auroient mis des armes entre les mains de leurs ennemis. Dans ce dilemme, ils furent forcés d'attendre le remede lent du retour de la sérénité dans l'esprit du peu-

ple, et des progrès du nouveau gouvernement vers la consistance et la vigueur (1).

Dans la crise d'une révolution faite par
le peuple, on doit s'attendre que le peuple aura un degré d'influence beauconp
plus grand que ne le souffriroit un gouvernement ferme et bien établi. — Il y a
trop peu de tems que le peuple connoît
sa force, pour qu'on puisse tout d'un coup
l'empêcher de l'exercer. Ses passions politiques ont été agitées par une tempête
trop violente pour reprendre en un moment cette sérénité capable de lui faire
attendre avec patience les décrets de ses
représentans. On devoit s'attendre à une
interposition, dans les actes de la législature, de la part d'une multitude irritée,

---

(1) Si cette relation est exacte, que doit-on penser
du langage de M. BBURKE, quand il parle de l'ASSEMBLÉ,
comme « *autorisant* les trahisons, les vols, les viols,
» les assassinats, les meurtres, et les incendies dans
» toute la France » (p. 58). Dans un autre endroit, il
confond ensemble l'extinction législative de l'*ordre* des
nobles avec les excès populaires commis contre des *individus* de la noblesse, pour charger l'assemblée de tout
ce blâme (pag. 100), méthode de discuter plus remarquable par l'art et la controverse, que par la candeur.

qui s'étoit trouvée irrésistible, et dont l'imagination croyoit le sort de la liberté attaché à la décision de chaque question politique. Les passions qui la font mouvoir sont violentes, les argumens qui en prouvent l'inconvenance sont recherchés. Dans cette conjoncture, cette interposition dévoit donc être trop grande, et elle étoit inévitable. Ce fut sans doute un grand mal, mais il étoit sans remede. La soumission du peuple, dans un tems de tranquillité, dégénere en une négligence *torpide* des affaires publiques, et la ferveur qu'inspire le moment d'une révolution produit nécessairement l'autre extrême. Donc, selon la nature des choses, il étoit impossible que la conduite de la populace de Paris eût été assez circonspecte et assez respectueuse envers les délibérations de l'assemblée, et qu'elle n'eût pas souvent été irréguliere et tumultueuse. Mais le tableau affreux que M. Burke nous a fait de cette « nécessité rigoureuse », sous laquelle cette » *assemblée captive* » votoit, n'est ni justifié par cette concession, ni par le fait. C'est le coloris trop chargé d'une imagination ardente. Les membres auxquels il

fait allusion, comme ayant été chassés par
des assassins, MM. Lally et Mounier, auroient sûrement pu rester sans danger
dans une assemblée où l'on vomissoit journellement tant d'injures avec impunité
contre les chefs populaires. Personne ne
niera que le membre qui traita M. Mirabeau « *du plus vil de tous les assassins* »,
n'ait joüit de la liberté de parler dans
toute son étendue. « Les terreurs de la
» lanterne et des bayonnettes » ont jusqu'ici été imaginaires. La fureur populaire a, jusqu'à présent, épargné les plus
véhémens déclamateurs de l'aristocratie,
et le seul *décret*, à ma connoissance, sur
lequel on *prétend* que le peuple a eu beaucoup d'influence, est celui sur le droit de
paix et de guerre. On ne sauroit nier que
le désordre et le tumulte de l'assemblée
n'aient souvent été dérogatoires à la dignité qui doit caractériser les délibérations
d'un corps législatif. Mais la seule question d'importance est de savoir quels ont
été les *effets* de ce tumulte sur ses décisions. Il est indifférent que ses délibérations aient été tumultueuses, si ses décisions ont été indépendantes. — « Dans la

question même du droit de paix et de guerre, *le dernier enchérisseur à la vente de la popularité* (1) , n'a pas réussi. Le plan de M. Mirabeau prévalut , avec quelques amendemens , tandis que les propositions « les plus éminemment populaires » d'accorder à la législature seule le droit de paix et de guerre furent rejetées.

Le cours de ces événemens nous mene insensiblement aux excès commis à Versailles les 5 et 6 octobre 1789. Après avoir lu avec la plus grande attention le corps de preuves volumineux produit devant le *châtelet* , les brochures pour et contre de MM. d'Orléans et Mounier , et le rapport officiel de M. Chabroud à l'assemblée, les détails de cette affaire semblent tellement enveloppés dans l'obscurité et la contradiction, qu'ils offrent très - peu de chose sur quoi un homme véridique et impartial puisse prononcer avec confiance.

Ils fournissent même à des adversaires , puérils et frivoles, des moyens pour convaincre M. Burke de quelques petites erreurs. Il est vrai que M. *Miomandre* , alors

____

(1) Burke , pag. 353.

en faction à la porte de la reine, vît encore ; mais il n'est pas moins vrai qu'il
fut laissé pour mort par ses assassins. Sur
la comparaison des témoignages, il est probable que les portes de la chambre de la
reine ne furent pas enfoncées ; « *que l'a-*
» *syle de la beauté et de la majesté ne*
» *fut pas violé* (1). Mais ces petites cor-
rections n'ôtent rien à l'atrocité des actes,
et ne changent en rien la complexion générale de ces scenes d'horreur.

La question la plus importante que présente ce sujet, est de savoir si la populace
de Paris servit d'instrument à des conspirateurs, ou si sa fatale marche vers Versailles fut un mouvement spontanée, produit par des appréhensions réelles ou chimériques de complots contre sa liberté.
J'avoue que je panche du côté de cette

____

(1) Expression de M. Chabroud. Cinq témoins disent
que les assassins n'enfoncerent pas la chambre de la
reine. Deux ont fait les dépositions que M. Burke a
suivies ; et pour donner à cette prépondérance la force
qu'elle doit avoir, il faut se rappeler que toute la procédure devant le *châtelet* n'étoit qu'*ex parte*. Voyez
Procédure criminelle faite au châtelet de Paris, &c.,
deux parties. PARIS, 1791.

L 4

derniere opinion. — *Les causes naturelles* me paroissent suffisantes pour avoir excité ce mouvement. On convient qu'il y avoit une disette de provisions à Paris. Le dîner des gardes-du-corps, à Versailles, étoit sans doute capable de provoquer une populace plus tranquille que celle d'une ville à peine recouvrée du choc d'une grande révolution. Les malédictions vomies contre l'assemblée, les insultes offertes à la cocarde nationale, l'ardeur de *loyauté* déployée à cette occasion, auroient pu exciter la jalousie même d'un peuple dont l'effervescence auroit été modérée par une longue jouissance, et dont les alarmes auroient été appaisées par la possession assurée de la liberté. La fuite du roi devoit être le signal infaillible de la guerre civile. — La situation exposée du château royal étoit donc une source continuelle d'alarmes. Ces causes agissant sur cette jalousie crédule, maladie de l'esprit public, dans les tems de désordres civils, qui voit des ennemis et des conspirations de tous les côtés, paroissent suffisantes pour avoir mû la populace de Paris.

Les appréhensions du peuple dans de

pareils tems, transforment les accidens les plus frivoles et les plus innocens en preuves de complots sanguinaires. — Témoin la *guerre* des *conspirations*, faite par les factions opposées pendant le regne de Charles II. La hardiesse avec laquelle on fabrique alors ces accusations, et la facilité avec laquelle on les croit, sont, dans l'esprit du sage, la plus grande présomption de leur fausseté. C'est en lisant l'histoire d'une pareille période, que son incrédulité devient plus forte concernant les conspirations. Les recherches de deux siecles n'ont encore pu, en Angleterre, décider les disputes que ces accusations ont occasionnées. La participation de la reine Marie dans la conspiration de Babington contre Elisabeth, y est encore un sujet de controverse. Nous disputons encore aujourd'hui sur la nature des liaisons qu'il y eut entre Charles I et les insurgens catholiques d'Irlande. Ce fut le travail d'un siecle de séparer la vérité de la fausseté dans le *Rye-house-plot*; de discerner ce que les amitiés et les inimitiés des contemporains confondoient; de distinguer les vues des chefs et celles des

conspirateurs subalternes , et de découvrir
que Russel et Sydney avoient , à la vérité ,
fomenté une révolte , mais que les subalternes avoient seuls complotté l'assassinat
du roi.

On peut dire, à la vérité , que des chefs
ambitieux se servirent de l'état violent de
Paris , que par de faux bruits ; et par des
vérités exagérées , ils exciterent la vengeance , et augmenterent les craintes de
la populace ; que leurs émissaires , se mêlant dans la foule , et cachés dans le désordre , devoient exécuter leurs desseins
criminéls ; qu'ainsi , la conspiration fut
jointe à la fureur populaire , et que des
fanatiques furent, comme c'est l'ordinaire ,
les dupes de chefs hypocrites. Telles sont
les accusations que l'on a faites contre M.
d'Orléans et contre M. Mirabeau. Leur
défense n'en impose pas aux admirateurs
de la révolution française. Cette révolution
n'est pas souillée , parce que ses progrès
n'ont pas été exempts de l'interposition
d'une ambition perverse , dont il est impossible de garder les affaires humaines.
Leur cause est étrangere à celle de la
révolution ; et plaider la cause des *indi-*

vidus, ce seroit oublier la dignité d'une discussion qui concerne les droits et les intérêts d'une nation émancipée.

Je ne craindrai cependant pas de dire que l'activité malicieuse d'un tribunal, évidemment hostile, n'a pu recueillir aucune preuve suffisante pour empêcher qu'un juré anglais n'eût prononcé leur innocence. Ce n'est pas un petit témoignage de l'innocence de Mirabeau, qu'un de ses antagonistes, qui n'étoit pas le moins violent dans ses inimitiés, ni le plus candide dans son jugement, ait avoué qu'il ne voyoit contre lui aucun fondement d'accusation. — « *J'avoue*, dit l'abbé Maury, *que je ne* » *vois aucune imputation grave contre M.* » *de Mirabeau* » (1).

Une circonstance d'improbabilité convaincante détruit d'un bout à l'autre le projet qui leur a été attribué; savoir, d'intimider le roi de maniere à lui faire prendre la fuite, afin d'avoir un prétexte d'élever le duc d'Orléans à la régence. Mais le roi ne pouvoit pas raisonnable-

---

(1) Discours de M. l'abbé Maury dans l'assemblée nationale, 1er octobre 1790.

ment espérer d'échapper (1). Il avoit à traverser un espace de pays de deux cents milles , gardé par un peuple armé , avant de parvenir à la frontiere la plus proche du royaume. L'objet de la conspiration étoit donc trop absurde pour être poursuivi par des conspirateurs auxquels leurs ennemis ne refusent pas des talens et de la sagacité. Il est impossible de douter que ce ne fût l'intention des chefs populaires de fixer la résidence du roi à Paris. Le nom, la personne, et l'autorité du roi auroient été des armes trop formidables entre les mains de leurs adversaires. La paix de leur pays , la stabilité de la liberté , leur commandoient impérieusement de faire usage de tous les moyens , pour empêcher leurs ennemis de prendre possession « de l'effigie du roi ». Le nom du roi auroit autorisé les puissances étrangeres à soutenir l'aristocratie. Leur interposition, qui seroit *aujourd'hui* des hostilités contre le roi et le royaume, n'auroit été *alors* regardée que comme des

---

(1) Les circonstances de sa derniere tentative prouvent ce que j'avance.

secours accordés contre la rebellion. Le nom du roi auroit ébloui et irrité les provinces. Il n'y avoit donc qu'un seul remede contre des conséquences si terribles, c'étoit la résidence du roi à Paris. Que l'on appelle cette résidence captivité, ou qu'on lui donne le nom que l'on voudra, je suis certain que le parlement d'Angleterre auroit mérité la reconnoissance de la nation et de la postérité, en empêchant également Charles I de s'échapper de Londres. Le même acte auroit donné de la stabilité aux bornes qu'ils avoient prescrites au pouvoir royal, prévenu les horreurs d'une guerre civile, le despotisme de Cromwell, la rechute dans la servitude sous Charles II, et les calamités qui suivirent la révolution subséquente. Il auroit été heureux pour l'Angleterre qu'on eût retenu la personne de Jacques II, lorsqu'on limita son autorité. Elle auroit alors été dans les mêmes circonstances où se trouve la France : l'odieux de sa conduite personnelle auroit entretenu une jalousie salutaire contre le pouvoir ; les préjugés des *droits personnels* n'auroient pas été portés à des hostilités contre la constitution, ni le peuple forcé de confier à son nouveau roi une force exorbitante pour défendre sa liberté, et le trône contesté. Telles sont les vues générales que peut suggérer un examen impartial de l'affaire du 6 octobre.

La marche vers Versailles paroît avoir été le mouvement spontanée d'une populace alarmée. Ses vues et les suggestions de ses chefs se bornoient probablement à faire venir le roi à Paris ; mais le choc d'une multitude armée termina par des excès imprévus et des crimes abominables.

Cependant ces crimes et ces excès ont, aux yeux de M. Burke, un aspect bien plus important que ne sauroit leur communiquer leur atrocité isolée. Ils forment, selon lui, la crise d'une révolution beaucoup plus importante qu'aucun changement de gouvernement ; une révolution qui doit faire périr les sentimens et les opinions qui ont formé les moeurs et les usages des Européens. « Le siecle de la » chevalerie est passé, et la gloire de l'Eu- » rope anéantie à jamais ». Il fait suivre cette exclamation d'un éloge pompeux de

la chevalerie , et de prédictions sinistres
pour la condition à venir de l'Europe,
puisque la nation , qui a si long-tems été
en possession de lui donner le ton dans
les arts et dans les modes, se trouve ainsi
dégradée et corrompue. On pourroit remarquer que des siecles beaucoup moins
éloignés de l'ardeur du méridien de la chevalerie que le nôtre, ont vu traiter des
reines d'une maniere aussi peu galante et
aussi peu généreuse que l'a fait la populace de Paris. On pourroit rappeler à M.
Burke que , dans le siecle et dans le pays
de *Sir* Philippe Sidney , « une nation
» d'hommes d'honneur et de chevaliers »,
souffrît qu'une reine de France , contre
laquelle la malignité de ses détracteurs
n'avoit pas excité autant de préjugés que
contre *Marie - Antoinette* , languît dans
la captivité , et périt sur l'échafaud ; et
on pourroit ajouter que les moeurs d'un
pays sont plus certainement indiquées par
la cruauté systématique d'un souverain ,
que par la frénésie licencieuse d'une populace. On pourroit remarquer que le
systême plus doux des moeurs modernes ,
qui a survécu aux massacres dont le fana-

tisme avoit, depuis un siecle, désolé et pour ainsi dire *barbarisé* l'Europe, résistera peut-être au choc des excès d'un jour commis par une populace en délire. On pourroit ainsi opposer avec succès aux déclamations de M. Burke des exemples spécieux et populaires.

Mais le sujet lui - même , pour un profond penseur, abonde en réflexions d'une nature différente. Ce système de manieres , qui exista parmi les nations gothiques de l'Europe , dont la chevalerie fut plutôt l'effusion que la source , est sans doute une des circonstances les plus intéressantes et les plus particulieres des choses humaines. On n'a peut-être pas eu les succès les plus heureux dans les recherches que l'on a faites des causes morales qui formoient son caractere. Mais en nous renfermant dans le sujet en question, la *chevalerie* étoit certainement un des traits les plus frappans, et des effets les plus remarquables de ce système de manieres. Il faut avouer avec candeur que cette singuliere institution n'est pas *seulement* admirable comme correctrice de ces siecles barbares , dans lesquels elle fleurit.

fleurit. Elle contribua à policer et à adoucir l'Europe. Elle fraya le chemin de cette effusion de science et de cette étendue de commerce , qui , par la suite , prit, en quelque sorte , sa place , et donna un nouveau caractere aux moeurs. La société fait nécessairement des progrès. — Dans le gouvernement , le commerce a renversé » ce systême féodal et de chevalerie , » à l'ombre duquel il s'étoit d'abord élevé. Dans la religion , la science a renversé cette superstition , dont les revenus opulens l'avoient d'abord nourrie. Des circonstances particulieres adoucirent la barbarie des siecles mitoyens au point de favoriser l'admission du commerce , et les progrès des sciences. Ces circonstances furent liées avec les manieres de la chevalerie ; mais les sentimens particuliers à cette institution ne purent être conservés que par la situation qui leur avoit donné naissance. Ils s'affoiblirent donc, en s'éloignant de la férocité et de la barbarie , et furent presque effacés par la tranquillité et le raffinement. Mais les rejetons que les manieres de la chevalerie avoient produits dans les siecles barbares , reçurent plus

M

de force de sa foiblesse , et fleurirent pendant sa décadence. Le commerce et la science ont tellement pris l'ascendant chez les nations policées, qu'il est difficile d'y découvrir aucun reste des *manieres gothiques*, sinon dans un extérieur bizarre, qui a survécu aux illusions généreuses qui rendoient ces manieres brillantes et séduisantes. Il y a long-tems que leur influence *directe* a cessé en Europe (1); mais leur influence *indirecte*, par le moyen de ces causes, qui n'auroient peut - être pas existé sans la douceur que produisit la chevalerie, dans des siecles de barbarie , opere avec une force redoublée. Les moeurs du neuvieme siecle furent exactement forcées. La bienfaisance courageuse fut produite par la férocité, la courtoisie galante par la grossiere rudesse, et la politesse artificielle s'opposa au torrent de la brutalité naturelle. Mais un systême moins incongru a succédé , dans lequel le com-

______

(1) « Ces charmes séducteurs , qui tenoient dans une
» nuit mystérieuse notre ancienne réputation , et qui
» obscurcissoient notre lumiere naturelle , sont enfin
» dispersés par les rayons du midi de la VÉRITÉ ».

merce, qui réunit les intérêts des hommes , et la science , qui bannit les préjugés qui tendent à susciter des querelles
entre eux, offrent une meilleure base pour
la stabilité des manieres civilisées et bien-
faisantes.

M. Burke prédit les plus fatales conséquences pour la littérature, sur des événemens qu'il suppose avoir porté un coup
mortel à l'esprit de chevalerie. J'ai toujours été à l'abri de pareilles appréhensions, à cause de ma croyance en une
vérité fort simple; *c'est que la science répandue se perpétue*. Une littérature bornée
à un petit nombre d'individus, peut périr
par le massacre des savans, et l'incendie
des bibliotheques; mais l'effusion des connoissances de nos jours ne pourroit être
anéantie que par l'extirpation de la partie
civilisée de l'espece humaine.

Loin d'être nuisible aux lettres, la révolution de France a servi leur cause d'une
maniere dont il n'y a pas d'exemple dans
l'histoire. Les progrès politiques et littéraires des nations ont jusqu'ici été les mêmes : la période de leur éminence, dans
les arts, a aussi été celle de leur réputa-

tion dans l'histoire ; et il n'y a point d'exemple où une grande splendeur *politique* ait
suivi le *siecle d'Auguste* d'un peuple.
Avant l'année 1789 , on auroit considéré
cela comme une maxime , sans exception
dans l'histoire. Mais la France , destinée
à réfuter toute doctrine abjecte et arrogante , qui voudroit limiter les pouvoirs
des hommes , nous offre une nouvelle
scene. Là , le choc d'une révolution a inspiré l'ardeur de la jeunesse pour la littérature, chez une nation qui étoit sur le
déclin. On voit naître de nouveaux arts ,
lorsqu'ils paroissoient tous avoir passé leur
zénith. La France a joui d'un *siecle d'Au-*
guste, entretenu par la faveur du despo-
potisme. Elle semble à présent en posséder
un autre , créé par l'énergie de la liberté.

Selon M. Burke , cependant elle fait
des progrès rapides vers l'ignorance et la
barbarie (1). » Déjà, dit-il , il paroît une
» pauvreté d'idées, une rudesse et une
» grossiereté dans tous les actes de l'assem-
» blée et de tous ses maîtres. Leur liberté
» n'est pas libérale ; leur science est une

____

(1) M. Burke, pag. 118.

» ignorance présomptueuse ; leur huma-
» nité est sauvage et brutale ». Faire des
remarques sur ce tableau modeste et courtois, est étranger au sujet actuel ; et
d'ailleurs on ne sauroit disputer les *impressions*, sur-tout lorsque l'on n'en assi-
gne pas les causes. Le seul moyen qu'il
vous reste alors, c'est de témoigner avec
confiance des impressions contraires, au-
torisées par l'exemple. Les actes de l'assemblée nationale de France me paroissent
contenir plus de modeles d'éloquence et
plus d'exemples de profondes recherches
politiques que n'en a montré aucun corps
politique des tems modernes. Je n'en puis
donc pas augurer l'anéantissement de la
philosophie ni l'extinction de l'éloquence.

C'est ainsi que sont variés les aspects
que la révolution de France, non seulement par son influence sur la littérature,
mais par son esprit général, offre aux personnes occupées des différentes opinions.
M. Burke n'y apperçoit qu'une scene d'horreur. Dans son esprit, elle n'inspire d'autre émotion que de l'horreur pour ceux
qui l'ont conduite, de la pitié pour ses
victimes ; et des alarmes sur l'influence

d'un événement qui menace le renverse-
ment de la politique, des arts, et des
moeurs du monde civilisé. L'esprit de ceux
qui la considerent d'une autre maniere,
est rempli de toutes sortes de sentimens
de triomphe et d'admiration. — D'admiration pour les brillans efforts de vertu
qu'elle a produits, et de triomphe, parce
qu'elle lui présente une plus vaste perspective de bonheur.

La candeur de la philosophie ne sauroit
nier non plus que de si grands événemens
soient toujours assez simples pour ne pas
offrir un *double* aspect à l'esprit et aux
exagérations des partis opposés. La même
ardeur, qui produit l'héroïsme patriotique
et législatif, devient la source de répré-
sailles barbares, de nouveautés chimériques, et de changemens précipités. On
tenteroit inutilement d'augmenter la fer-
tilité du sol sans en favoriser en même
tems les excroissances nuisibles. Celui qui,
dans de semblables occasions, attend un
bien sans mélange, doit se rappeler que
l'économie de la nature a invariablement
déterminé que les grandes passions étoient
sujettes à produire les vertus et les vices.

Le sol de l'Attique fut remarquable chez
les anciens pour les fruits les plus déli-
cieux et les poisons les plus violens. Il
en est de même de l'esprit humain ; et
c'est aux convulsions fréquentes que les
anciennes républiques doivent les exemples de désordres sanguinaires et d'héroïsme vertueux, qui distinguent leur histoire de cette tranquillité monotone des
Etats modernes. Les passions d'une *nation*
ne sont montées au point d'être susceptibles d'actions d'éclat, sans courir les risques
de commettre des violences et des crimes.
L'ardeur de réforme dans un *sénat* n'est jamais assez grande pour combattre et vaincre
les abus, à moins qu'elle ne hasarde les maux
qui proviennent d'une témérité législative.
Telles sont les lois immuables qui sont plutôt
des libelles contre la nature humaine, que
des accusations contre la révolution française. La voix impartiale de l'histoire doit
sans doute raconter les défauts , comme
les perfections de ce grand événement ; et
il seroit réellement amusant et instructif
de comparer la description qu'en auroit pu
donner le *Toréisme* spécieux et modéré de
M. Hume , avec celle que nous avons

reçue des invectives rebutantes et fanatiques de M. Burke. Ces deux grands hommes n'auroient pas été amis de la révolution ; mais il n'auroit pas été difficile
de faire la distinction de la fureur sans
déguisement d'un *avocat* éloquent, et de
la partialité bien dissimulée d'un JUGE
philosophe. Telle seroit probablement la
différence entre M. Hume et M. Burke, s'ils
écrivoient tous deux sur la révolution française. Les passions du dernier ne seroient
sensibles qu'aux excès qui l'ont déshonorée ;
mais la philosophie du premier lui appren-
droit que les sentimens des hommes,
élevés par de pareils événemens au-dessus
des situations ordinaires, deviennent la
source de crimes et d'un héroïsme inconnus
dans les affaires ordinaires des nations ; que
de telles périodes nous fournissent de fré-
quens exemples de ces vertus sublimes et de
ces crimes éclatans, qui agitent et intéres-
sent avec tant de force le coeur de l'homme.

SECTION IV.

Nouvelle constitution française (1).

U N E dissertation complette sur la nouvelle constitution française seroit un vaste système de science politique. Elle renfermeroit un développement des principes qui dirigent chaque portion du gouvernement. Un pareil essai ne pourroit être compris dans les bornes que nous nous sommes prescrites ; mais la nature de notre apologie exige que nous fassions quelques remarques sur les traits les plus frappans du système de la France. Elles consisteront principalement en une défense de ses grands PRINCIPES THÉORIQUES , et de sa plus IMPORTANTE INSTITUTION PRATIQUE.

Le principe de théorie qui a dirigé les

____

(1) Je ne saurois m'empêcher d'exhorter ici ceux qui désirent avoir des notions exactes sur le sujet de cette section, de lire et d'étudier la description de la constitution française, donnée avec tant d'exactitude par M. CHRISTIE.

législateurs de France, fut que l'objet de tout gouvernement légitime devoit être l'assurance et la protection des droits naturels de l'homme. On ne sauroit, à la vérité, disconvenir qu'ils ne se soient quelquefois écartés (1) de la route tracée par ce grand principe ; très-peu cependant, en comparaison de ceux de toute autre société, dont l'histoire ait fait mention ; mais trop pour leur propre gloire et pour le bonheur de l'espece humaine. Ce principe est néanmoins la base de leur édifice ; et s'il est faux, l'édifice doit nécessairement s'écrouler. C'est donc contre ce principe que M. Burke a fort judicieusement dirigé son attaque. Un appel aux droits naturels, est, selon lui, inconséquent et absurde. L'homme, en entrant en société, abdique entierement tous ses droits naturels, et les seuls droits qu'il conserve sont créés par le pacte qui tient ensemble la société dont il est membre.

---

(1) Je fais particulierement allusion à leur politique, au sujet des colonies ; mais je suis obligé d'avouer que je vois dans toute sa force les difficultés nombreuses de cette affaire embarrassante.

Il maintient explicitement cette doctrine.
— « Du moment, dit - il, que vous re-
» tranchez quelque chose aux droits de
» chaque homme pour se gouverner, et
» que vous souffrez la moindre limite ar-
» tificielle à la plénitude de ces droits,
» dès ce moment toute l'organisation de
» la société devient un objet de conve-
» nance ». BURKE, pag. 89. « Comment
» un homme, lié par les conventions de
» la société civile, peut - il réclamer des
» droits qui y répugnent absolument » ?
Ibid. pag. 88. Tous ses argumens tendent
au même but, depuis la pag. 86 jusqu'à la
pag. 92. Il est donc absolument nécessaire
d'examiner cette doctrine. Il ne faudra
pas pour cela faire de grandes recherches
sur les principes métaphysiques de la Politique et de l'Ethique. Une discussion
complette sur ce sujet demanderoit, à la
vérité, de pareilles recherches (1). Il fau-

---

(1) Il ne seroit peut-être pas difficile dé prouver que
loin de *renoncer* à ses droits naturels, en entrant en
société, l'homme n'en souffre pas la plus petite *diminution*. On pourroit démontrer que l'existence de toute
association, avec une force publique plus ou moins

droit d'abord démontrer l'origine des droits naturels, et prouver même leur existence contre la théorie de quelques auteurs. Mais ces recherches sont peu convenables à la nature d'un ouvrage fait pour convaincre le peuple. Nous sommes d'ailleurs exempts de ce travail dans une controverse avec M. Burke, qui reconnoît lui-même, dans la plus grande latitude, l'existence de ces droits naturels.

Leur existence une fois admise, la discussion sera courte. Le seul moyen par lequel on peut estimer la portion de droit naturel, à laquelle l'homme renonce en entrant en société, est l'*objet* de cette renonciation. Si l'on en demande plus que l'objet n'en exige, alors ce n'est plus un *objet*, mais un prétexte. Or l'*objet* pour lequel un homme renonce à une partie de sa souveraineté naturelle sur ses propres actions, est pour être protégé de l'*abus*

---

stable pour la protéger (*essence de tout gouvernement*), est aussi ancienne que l'homme. C'est pourquoi toute théorie qui supposeroit l'*existence actuelle* d'aucun état antérieur à celui de la société, pourroit être convaincue de fausseté et de futilité.

de la même domination de la part des autres hommes. Il n'est donc pas nécessaire qu'il fasse un plus grand sacrifice que cet objet ne l'exige ; savoir, la résignation des *pouvoirs*, dont l'exercice pourroit nuire à un AUTRE. Conséquemment, rien n'est plus faux que de prétendre que, dans l'état social, nous sommes privés de *tout* appel au droit naturel (1). Ce droit

---

(1) « Trouver une forme d'association qui défende » et protege de toute la force commune la personne » et les biens de chaque associé, et par laquelle chacun, » s'unissant à tous, *n'obéisse pourtant qu'à lui même,* » *et reste aussi libre qu'auparavant* » ? — ROUSSEAU, *Contrat social, liv.* 1, *chap.* 6. Le ridicule que veut jeter M. Burke sur Rousseau ne m'empêche pas de le citer. Le rapport que fait M. Hume de son secret littéraire, est très-infidele. La sensibilité, la fierté, l'ardeur de son caractere sont des preuves de sa sincérité ; et quand il seroit vrai qu'il eût commencé par faire des paradoxes pour attirer l'attention, il faudroit fort peu connoître la nature humaine, pour supposer que, dans la chaleur de la dispute et la gloire du succès, il ne soit pas devenu dupe de ses propres illusions, et disciple de ses propres impostures. Il n'est pas, à la vérité, impossible que lorsqu'on le railloit sur l'extravagance de ses paradoxes, il en ait parlé dans un moment de gaieté, comme d'un jeu de l'imagination, et d'une expérience sur la crédulité du genre humain. Le

reste dans toute son intégrité et dans toute sa viguenr, excepté cette portion que les hommes sacrifient mutuellement, pour se protéger les uns contre les autres. Ils ne renoncent pas à la totalité du droit ; l'objet qu'ils ont en vue ne l'exige pas : et tout gouvernement qui, sous *prétexte* de cette renonciation au droit naturel, faite pour la sûreté commune , en prend une plus grande portion que cet objet ne l'exige *rigoureusement*, est une usurpation soutenue par des sophismes, un despotisme couvert du vernis de l'illusion. Il s'ensuit de ce principe que la renonciation à ce droit doit être *la même* pour tous les membres de la société, puisque l'objet de tous est précisément le même. En effet, la société, au lieu de détruire l'égalité, la réa-

---

philosophe écossois , inaccessible à l'enthousiasme, et peu susceptible de ces dépressions et de ces élévations, de ces angoisses, et de ces ravissemens , si ordinaires au cœur brûlant de Rousseau, ne connoissoit pas jusqu'à quel point il pouvoit se relâcher dans la gaieté, ou s'exalter dans la passion. M. Burke, dont le caractere est si différent, auroit dû, par expérience, connoître ces changemens, et savoir mieux distinguer l'effusion du cœur d'avec des opinions sérieuses.

lise et l'affermit. Dans l'état de *nature*, l'égalité des droits est une théorie impuissante, que l'inégalité de force et d'adresse peut à tout moment violer. Elle n'a de force et de vigueur que par le moyen de la société. Comme l'égalité naturelle n'est pas contestée, et comme la portion de droit de chaque individu, mise en masse, est la même, on ne sauroit nier que le reste de ce droit, qui n'est pas exigé par le contrat social, ne doive aussi être le même pour chaque membre de la société. L'inégalité *civile*, ou, pour parler plus correctement, les distinctions civiles, existent nécessairement dans un corps social, parce qu'il doit posséder des organes destinés à diverses fonctions. Mais l'inégalité politique est contraire aux principes du droit naturel et à l'objet des institutions civiles (1).

____

(1) « Mais quant à la portion de pouvoir et d'auto-
» rité que chaque individu doit avoir dans l'administra-
» tion de l'Etat, je nie que cela soit au nombre des
» droits originaires et directs de l'homme dans la
» société civile ». Cela est nier d'une maniere évidente
l'existence de ce que nous avons appelé liberté *politique*,
par contraste avec la liberté *civile*.

Les hommes retiennent un droit à une
partie de leur gouvernement, parce que
l'exercice du droit, par un seul homme,
n'est pas incompatible avec sa possession
par un autre homme ; ce qui est évidemment le seul cas où la société puisse exiger
l'abdication d'un droit naturel.

Cette doctrine n'est pas plus évidente
dans la théorie, qu'elle n'est importante
dans la pratique. C'est légitimer toutes les
tyrannies que de s'en écarter d'une seule
ligne. Si le seul signe des gouvernemens
est *la convention supposée* qui les forme,
ils sont TOUS également légitimes ; car le
seul interprête de la convention est l'usage
du gouvernement, qui devient ainsi vi-
cieusement son propre appui. Il faut, à
la vérité, que les gouverneurs s'en tiennent aux maximes de la constitution qu'ils
administrent. Mais, selon ce système, la
nature de la constitution est fort peu importante. Ces maximes ne permettent pas,
il est vrai, au roi de France de crever les
yeux aux princes du sang, ni au sophi de
Perse de se servir de lettres de cachet. Il
faut qu'ils tyrannisent, selon des exemples
antérieurs, et qu'ils oppriment, en imi-

tau

tant respectueusement les usages consacrés
par leurs prédécesseurs despotes. Mais s'ils
s'y conforment , il ne reste plus de remède
pour l'opprimé , puisqu'un appel au droit
naturel seroit une trahison contre les principes de l'union sociale. Si , à la vérité ,
on s'écarte de l'usage dans le mode ou le
degré de l'oppression , cette théorie (quoiqu'inconséquemment) permet la résistance.
Mais tant que les *formes* d'un gouvernement quelconque sont conservées , il a ,
sous un point de vue de *justice* (quelle
que soit sa nature), un droit égal à l'o-
béissance. Cette conséquence est incontestable ; il est *donc* évident que la doctrine
de M. Burke est tout-à-fait réfutée par la
fausseté de la logique qui la soutient , et
par l'absurdité des conséquences auxquelles
elle mene.

Elle est d'ailleurs virtuellement contraire
aux lois de toutes les nations. Si ses opinions étoient vraies , le langage des lois
exprimeroit des *permissions* , et non pas
des *restrictions*. Si les hommes avoient
remis tous leurs droits entre les mains du
magistrat , l'objet des lois seroit de faire
connoître la portion qu'il lui plaît de leur

rendre, et non pas la portion dont il est forcé
de les priver. Le code criminel de toutes les
nations consiste en *défenses :* et tout ce
qui n'est pas défendu par la loi, est par-
tout censé pouvoir être fait avec impunité.
Les hommes agissent selon les principes
que ce langage de la loi leur enseigne ;
savoir , qu'ils retiennent des droits qu'aucun pouvoir ne sauroit altérer ni enfrein-
dre , qui ne sont pas les bienfaits de la
société , mais les attributs de leur nature.
Les droits des magistrats et des fonction-
naires publics sont véritablement les créatures de la société. C'est pourquoi ils se
guident , non pas par ce que la loi *ne dé-*
fend pas , mais par ce qu'elle autorise et
enjoint. Si les droits des hommes étoient
également créés par des institutions civiles,
le langage du code civil seroit semblable,
et l'obéissance des sujets auroit les mêmes
limites.

Cette doctrine , fausse dans ses principes ,
absurde dans ses conséquences , et contredite par les sentimens du genre humain ,
est même abandonnée par M. Burke. Il
se trahit lui-même par un aveu tout-à-
fait contraire à ses principes généraux.—
« Tout ce qu'un homme peut faire sans

» nuire aux autres , il a certainement DROIT
» de le faire pour lui-même , et il a DROIT
» à *une juste portion* de TOUT ce que la
» société , par toutes ses combinaisons de
» science et de force, peut faire pour lui »
Ou ce droit est universel, ou il ne l'est
pas. S'il est universel , il ne sauroit être
le fruit d'un contrat ; car les contrats doivent être aussi variés que les formes de
gouvernement ; et il s'en trouve plusieurs
qui ne reconnoissent pas ce droit, et qui
ne placent pas l'homme dans cet état d'é-
galité parfaite. Tous les gouvernemens qui
tolerent l'esclavage, par exemple, négligent ce droit ; car un esclave ne peut prétendre ni aux fruits de son industrie, ni
à aucune portion de ce que la force et la
science combinées de la société produisent.
S'il n'est pas universel , ce n'est plus un
droit ; on ne peut l'appeler qu'un *privilége*
accordé par quelques gouvernemens , et
refusé par d'autres. Je ne vois d'autre
moyen de se tirer de ce dilemme , qu'en
avouant que ces prétentions civiles sont
les restes de ces droits *métaphysiques* pour
lesquels M. Burke a tant d'horreur , mais
que les sociétés ont plutôt en vue de conserver que de détruire.   N 2

Mais on dira peut - être que , quoique tout appel aux droits naturels ne soit pas perdu par le contrat social, quoique l'on puisse admettre théoriquement leur intégrité et leur perfection dans l'état civil, cependant comme les hommes peuvent s'abstenir de l'exercice de leurs droits , s'ils croient que cet exercice est imprudent , et que comme le *gouvernement* n'est pas une *subtilité* scholastique , mais une convenance *pratique* pour le bien général, tout recours à ces distinctions métaphysiques est frivole et futile , et que la grande question , en fait de gouvernement , n'est pas son origine , mais ses fins ; que ce n'est pas une question de droits , mais une considération de convenances. Les formes politiques , ajoutera-t-on , sont les seuls *moyens* d'assurer une certaine portion de la félicité publique. S'il est visible que les *fins* soient obtenues , toutes les discussions sur la propriété théorique des *moyens* qui les produisent sont inutiles et superflues.

Je réponds d'abord à cela qu'un pareil argument prouveroit trop , et que , pris dans toute son étendue , il détruiroit le grand système de la morale , dont les prin-

cipes politiques ne forment qu'une partie.
Toute la morale est sans doute fondée sur
une utilité générale.—« *Ipsa utilitas justi*
» *prope mater et aequi* » , peut sûrement
être adopté sans la réserve dictée par la
timide et inconstante philosophie du poëte.
La justice et l'utilité ; mais c'est l'utilité,
agissant selon des maximes générales, dans
lesquelles la raison a concentré l'expérience du genre humain. Tout principe
général de justice est évidemment utile,
et c'est cette utilité seule qui lui donne
une obligation morale. Mais il seroit funeste à l'existence de la morale que l'utilité de chaque *action particulière* devînt
le sujet d'une délibération dans l'esprit de
tout acteur moral. On doit suivre une
maxime générale de morale , quand même
son inutilité seroit évidente , parce que
l'exemple de s'en écarter , plus que contre-
balance toute l'utilité qu'il peut y avoir
à ne pas la suivre dans un cas particulier.
Les premiers principes politiques sont de
cette nature. Ce ne sont que des principes
moraux adaptés à la réunion civile des
hommes. Quand je dis qu'un homme a
droit à la vie , à la liberté , &c. , je ne

N 3

fais qu'énoncer une MAXIME MORALE, fondée sur l'*intérêt général*, qui défend toute attaque de ces possessions. Dans ce sens primitif et originaire, tous les droits, tant naturels que civils viennent de la convenance. Mais du moment où l'édifice moral est élevé, ses bases disparoissent pour toujours. Du moment où les maximes, fondées sur une utilité générale et perpétuelle, sont réunies et consacrées, elles cessent de céder à une utilité partielle et subordonnée. Il convient alors à la perfection de la vertu de considérer, non pas si une action est utile, mais si elle est juste.

La même nécessité pour la substitution des maximes générales existe en politique, comme en morale. Ces principes précis et inflexibles, qui ne cedent ni aux séductions de la passion, ni aux suggestions de l'intérêt, doivent être les regles de la morale publique, ainsi que de la morale particuliere. — Agir selon les droits naturels des hommes, n'est qu'une autre expression pour agir selon ces MAXIMES GÉNÉRALES *de la morale sociale*, qui prescrivent ce qui est *juste et utile* dans les liai-

sons humaines. Nous avons prouvé que le
contrat social ne change pas ces maximes
et ne détruit pas ces droits ; et il s'ensuit
incontestablement , par les mêmes principes , qui servent de regles à toute la morale , qu'aucune utilité ne sauroit justifier
leur infraction.

L'inflexibilité des principes généraux est
peut-être plus nécessaire dans la morale
politique que dans toute autre classe d'actions. Si l'on admet la considération de
l'utilité , il faut savoir qui en sera juge.
Ce n'est jamais le grand nombre dont les
intérêts sont en danger : il ne sauroit
juger ; et d'ailleurs on ne se hasarde pas
d'en appeler à lui. C'est *le petit nombre*
qui est intéressé à la perpétuité des abus
et de l'oppression. Or un juge , évidemment intéressé à la décision , doit être
lié par les réglemens les plus strictes ; et
un sage législateur ne donneroit pas à l'héritier d'un lunatic *plein pouvoir* de juger
de sa santé ou de son dérangement. Donc
la soumission aux principes généraux, et
le maintien des droits naturels , sont beaucoup plus nécessaires en politique que
dans la morale de la vie ordinaire. Du

moment où l'on permet la plus petite infraction à ces droits pour des motifs d'*utilité*, les barrieres de toute politique juste
sont renversées. Car si une petite convenance justifie une petite infraction, une
plus grande convenance prétendue justifiera une violation plus hardie. *Le Rubicon
est passé*. Les tyrans ne cherchent jamais
des sophistes en vain. Les prétextes se
multiplient sans difficulté et sans fin. Il
n'y a donc qu'une adhésion inflexible aux
principes du droit général, qui puisse conserver la pureté, la consistance et la stabilité d'un Etat libre.

Nous avons donc justifié le premier
principe théorique de la législation française. Nous avons démontré que la doctrine
d'une abdication absolue des droits naturels de l'homme dans l'état de société, est
déduite de mauvaises prémisses, et mene
à des conséquences absurdes; qu'elle con-
sacre le despotisme le plus affreux; qu'elle
est contraire à la plus grande conviction
des hommes; et finalement, qu'elle a été
abandonnée par son anteur, comme n'é-
tant pas tenable. L'existence et la perfection de ces droits étant prouvée, le premier devoir des législateurs et des magis-

trats est de les assurer et de les protéger. C'est donc avec beaucoup de sagesse que la France a commencé le travail de sa ré- génération par une déclaration solemnelle de ces droits sacrés , inaliénables et im- prescriptibles. — Déclaration qui doit être aux citoyens le moniteur de ses devoirs , comme l'oracle de ses droits ; déclaration qui doit enseigner à arrêter les écarts du magistrat, à corriger la tendance des pou- voirs vers les abus, et à estimer correcte- ment et sans passion toute proposition politique, en la comparant avec les *fins* de la société. Ces déclarations des droits des hommes furent les productions de la jeunesse vigoureuse de la raison et de la liberté dans le nouveau monde , où l'esprit humain n'étoit pas environné de cette vaste masse d'usages et de préjugés , que tant de siecles d'ignorance avoient accumulée , pour charger et défigurer la société en Europe. La France , entr'autres leçons , ap- prit cela de l'Amérique ; et c'est peut être le seul expédient que la sagesse humaine ait pu suggérer pour tenir la vigilance publique, toujours en garde contre l'usur- pation des intérêts partiels , en offrant continuellement à l'oeil du public le droit général et l'intérêt général. Je suis persuadé que jusqu'ici on trouvera correct le principe scientifique, qui a servi d'étoile du nord à l'assemblée nationale de France, pour diriger le vaisseau de l'Etat à travers tant de tempêtes affreuses qui menaçoient continuellement de l'engloutir.

Il reste à faire un examen beaucoup plus étendu et plus compliqué ; c'est celui de ses institutions politiques. Comme il nous est impossible de les examiner toutes, nous bornerons nos remarques aux plus importantes. Donc, pour parler en général de la constitution française, nous remarquerons d'abord que la dénomination de DÉMOCRATIE qu'on lui applique est fausse et illusoire. Si, à la vérité, ce mot est entendu selon son *étymologie*, c'est-à-dire, comme le pouvoir du peuple, c'est une démocratie ; et c'est ainsi que sont tous les gouvernemens légitimes. Mais s'il est pris dans un sens historique, il n'en est pas de même ; car elle ne ressemble pas aux gouvernemens qui ont été appelés démocratiques, ni dans les tems anciens, ni dans les tems modernes. Dans les anciennes démocraties, il n'y avoit ni représentation ni division de pouvoirs. La populace faisoit les lois, jugeoit et exerçoit toute autorité politique. Je ne veux pas dire qu'à Athenes, la démocratie, dont l'histoire nous a rapporté le plus d'événemens, il n'y ait pas eu quelques foibles barrieres à l'autorité populaire. Mais il a été remarqué avec justesse qu'une multitude, quand elle seroit composée de Newtons, doit être une populace ; que sa volonté doit également être imprudente, injuste et irrésistible. L'autorité d'une populace corrompue et tumultueuse a été regardée par les meilleurs écrivains de l'antiquité plutôt comme une ochlocratie que comme une démocratie , comme le despotisme de la canaille, et non pas la domination du peuple. C'est une démocratie dégénérée ; c'est un paroxysme fiévreux du corps social , qui doit bientôt finir par la convalescence ou par la dissolution.

La nouvelle constitution de France est exactement l'inverse de ces formes. Elle place le pouvoir législatif dans les représentans du peuple, le pouvoir exécutif dans un premier magistrat héréditaire, et

le judiciaire dans des juges élus périodi-
quement, qui n'ont aucune connexion ni
avec la législature, ni avec le pouvoir exécutif. Confondre une pareille constitution
avec les démocraties de l'antiquité, pour
avoir occasion de citer contre elle les
preuves de l'histoire et de l'expérience,
c'est avoir recours aux artifices les plus
plats et les plus futiles de la sophistiquerie. — En l'examinant ici, la premiere
question qui se présente regarde le mode
de constituer la législature : et la premiere
partie de cette question, qui concerne le
droit de suffrage, est de la derniere importance dans les républiques. Je suis ici
parfaitement d'accord avec M. Burke, et
je réprouve fort cet acte impuissant et
absurde, par lequel l'assemblée *a privé du
droit de citoyen* tout homme qui ne paye
pas une contribution directe de la valeur
de trois journées de travail. Il est évident
qu'un pareil décret ne sert qu'à montrer
de l'inconséquence, et à violer la justice.
Mais au moment de la discussion, ces
remarques ont été faites en France, et ce
plan a été combattu dans l'assemblée avec
toute la force de la raison et de l'éloquence

par les plus habiles orateurs du parti populaire. MM. Mirabeau, Target, et Pétion se distinguerent particulieremeut par leur opposition. Mais les membres plus timides du parti démocratique furent effrayés d'une innovation aussi hardie dans les systêmes politiques, que celle de la JUSTICE. Ils flottoient entre les principes et les préjugés : et le combat se termina par un compromis illusoire ; ressource constante des esprits foibles et irrésolus. Ils furent satisfaits qu'on ne pût faire que *peu* de mal dans la pratique. — Leurs idées n'étoient pas assez élevées pour s'appercevoir que l'INVIOLABILITÉ DES PRINCIPES est l'égide de la vertu et de la liberté.

Les membres de cette description ne forment pas, à la vérité, la majorité de leur parti ; mais la minorité aristocratique, toujours aux aguets, pour profiter de ce qui pouvoit déshonorer ou embarrasser l'assemblée, s'empressa de se joindre à eux, et ils souillerent l'enfance de la constitution par cette absurde usurpation.

Un adversaire éclairé et respectable de M. Burke, a voulu défendre cette mesure. Dans une lettre à *milord Stanhope*

(p. 78—9) , il soutient que l'esprit de ce
réglement s'accorde parfaitement avec les
principes de la justice naturelle ; parce que,
même dans l'état de nature, le *mendiant*
n'a droit qu'à la charité , et que celui qui
ne produit rien n'a aucun droit à partager
l'administration de ce qui est produit par
l'industrie des autres. Mais quelle que soit
la justice de priver du droit de citoyen
le pauvre qui ne gagne rien , l'argument
n'est pas applicable à la question présente.
Le décret de l'assemblée exclut les domestiques, quoiqu'ils vivent aussi évidemment
du produit de leur travail qu'aucune autre
classe de la société ; et conséquemment
l'argument de notre écrivain ingénieux et
subtil , ne sauroit s'appliquer à eux (1).
Mais la consolation des amis constans de

---

(1) On a remarqué avec justesse que même , selon
l'idée de l'*impôt* , tous les hommes ont un droit égal
aux élections. Car l'homme qui n'est pas assez riche
pour payer à l'Etat une contribution directe , paye
néanmoins une taxe , par l'augmentation qu'il occasionne
sur le *prix* des denrées. D'ailleurs, on doit observer
que la vie et la liberté sont plus sacrées que la propriété ,
et que le droit de voter est le seul bouclier qui puisse les
protéger.

la liberté, c'est que cet abus ne peut pas durer long-tems. Ce foible ennemi ne résistera pas à l'esprit de la raison et de la liberté, qui a remporté de telles victoires. Le nombre d'électeurs, dans les assemblées primaires, est maintenant si grand et l'importance d'une simple voix comparativement si petite, qu'ils n'ont qu'un bien foible intérêt à s'opposer à l'extension du droit de voter. J'ai donc parlé de l'usurpation du droit de suffrage avec l'ardeur d'une affection inquiette, et la liberté d'une admiration libérale. Le moment est trop sérieux pour les complimens, et je laisse intact, aux partisans du despotisme, leur monopole d'applaudissemens aveugles et serviles (1).

J'avoue, avec la même franchise, que je désapprouve également les élémens du territoire et de la contribution qui entrent dans la proportion des représentans envoyés

____

(1) « Celui qui vante librement ce qui a été fait no-
» blement, et qui ne craint pas de déclarer aussi libre-
» ment ce que l'on auroit pu faire, vous donne la meil-
» leure preuve de sa sincérité. Ses plus grands éloges
» ne sont pas des flatteries, et ses avis les plus francs
» sont des éloges ». MILTON, *Areopagitica.*

par les différentes parties du royaume. La représentation territoriale (1) ou mobiliaire est un reste monstrueux de l'ancien préjugé. Les terres ou l'argent ne peuvent pas être représentés. Il n'y a que les *hommes* que l'on puisse représenter , et la population seule doit servir de regle pour le nombre de représentans que chaque district députe.

La seconde considération qui se présente , c'est la nature des corps qui vont faire l'organisation des citoyens français , pour qu'ils s'acquittent de leurs fonctions politiques. — M. Burke a , sur ce point important du sujet, commis des erreurs capitales. Il est plus amplement, plus adroitement et plus correctement traité par M.

-----

(1) Montesquieu, je crois , fait mention d'une république fédérative en *Lycie* , où le nombre de représentans, envoyés par chaque état, étoit en proportion de sa population et de sa contribution. Cette institution est plausible dans des Etats confédérés indépendans ; mais elle est extrêmement absurde dans une république , qui est UNIQUE. Dans ce dernier Etat, la contribution de chacun étant proportionnée à sa capacité, elle est , par rapport aux contribuables , ÉGALE ; et si elle donne des droits politiques , ils doivent avoir des droits égaux.

de

de Calonne, de l'ouvrage duquel cette discussion forme la partie la plus intéressante.

Les assemblées qui divisent le peuple de France sont de *quatre* especes. — Primaires, municipales, électorales, et administratives.

Aux *municipalités* appartient le soin de maintenir la police, et de percevoir le revenu dans leur jurisdiction. On peut se former une idée cxacte de leur nature et de leur objet, en supposant *la campagne* d'Angleterre uniformément divisée et gouvernée, comme ses villes et bourgs, par des magistrats élus par le peuple.

Les assemblées primaires, premiers élémens de la communauté, sont composées de tous les citoyens, qui payent un impôt direct, égal au prix de trois journées de travail ; ce qui équivaut à une demi-couronne anglaise. Leurs fonctions sont purement bornées aux élections. Elles envolent *directement* des représentans à l'assemblée du *département*, dans la proportion d'un à cent citoyens actifs. Elles ne le font pas par l'intermédiaire du district, comme cela avoit été originairement proposé par le comité de constitution, et comme M. Burke l'a faussement avancé. Elles envoient, à la vérité, des représentans à l'assemblée du district; mais l'objet de cette assemblée n'est pas d'envoyer des électeurs au département, mais de choisir les administrateurs même du district.

Les assemblées électorales des *départemens*, composées des délégués immédiats du peuple dans ses assemblées primaires, élisent les membres de la législature, les juges, les administrateurs, et l'évêque du département (1).

Les *administrateurs* sont par - tout les organes et les instrumens du pouvoir exécutif. Comme les provinces de France, sous l'ancienne forme de gouvernement, étoient administrées par des gouverneurs, des intendans, &c., nommés par le roi, maintenant, elles sont gouvernées par ces corps administratifs, choisis par les assemblées électorales des départemens.

.Telle est la rude esquisse de cette organisation, travaillée, formée par la législature de France. Les détails ne sont pas

____

(1) Chaque département a un siége épiscopal.

nécessaires à mon objet : et je m'en abstiens
d'autant plus volontiers , que je sais qu'ils
vont, dans peu, être mis sous les yeux du
public par une personne plus capable que
moi de le faire avec précision, et qu'ils
seront ornés d'une carte très-correcte de la
nouvelle constitution de France.

M. Burke et l'ex - ministre Calonne
avancent plusieurs argumens subtils et
spécieux contre l'ordre de ces assemblées.
Le premier et le plus formidable est, « leur
» tendance supposée de convertir la France
» en un corps de républiques confédérées ».
On peut faire à cette objection plusieurs
réponses sans répliques. Néanmoins, avant
de les offrir , il est nécessaire de faire une
distinction. Ces différens corps sont dans
un sens indépendans , en ce qui regarde
l'administration intérieure et subordonnée. Mais ils ne sont pas indépendans dans
le sens de l'objection, qui suppose qu'ils
possedent une volonté différente de celle
de la nation, ou qu'ils influent autrement
que par leurs représentans, sur le système
général de l'Etat. Bien plus, on peut démontrer que les législateurs de France ont
pris beaucoup plus de précautions contre

ce démembrement , que n'en a adopté aucun gouvernement connu.

La première circonstance qui s'y oppose
est *le peu d'étendue des parties* qui divisent le royaume. Elles sont trop petites
pour avoir une force séparée. Comme
élémens d'un **ordre social** , comme parti-
cules d'un grand corps politique , elles
sont quelque chose ; mais comme Etats
isolés , elles seroient impuissantes. Si la
France avoit été divisée en grandes masses ,
chacune d'elles auroit été assez forte pour
prétendre à une volonté séparée ; mais
divisée comme elle est , aucun corps de
citoyens ne sauroit être persuadé qu'il
possede une force suffisante pour que
ses sentimens soient de quelque importance , sinon comme parties consti-
tuantes d'une volonté générale. Jetez un
oeil rapide sur les assemblées administratives , primaires , et électorales : et rien
ne vous paroîtra plus évident que leur
foiblesse , si vous les prenez séparément.
Ce ne seront certainement pas les municipalités qui s'arrogeront l'indépendance.
La quarante - huit millieme partie du
royaume n'a pas assez de force pour une

existence séparée , et il ne peut jamais s'é-
lever dans une si foible communauté le
moindre espoir d'influer d'une maniere
directe et *dictatoriale* sur les conseils d'un
grand empire. Même les assemblées électorales des départemens ne possedent pas,
comme nous le ferons voir par la suite,
assez de force pour devenir des républiques
indépendantes et confédérées.

Une autre circonstance tout-à-fait contraire à ce démembrement, c'est la destruction de l'ancienne division provinciale du royaume. M. Burke n'a, dans
aucune partie de son ouvrage, choisi ses
argumens avec tant de mal-adresse qu'en
ce qui regarde ce sujet. Il n'a pas seulement erré ; mais son erreur est précisément l'inverse de la vérité. Il représente
comme l'avant-coureur des discordes ce
qui est, dans le fait, un instrument d'u-
nion. Il prend le ciment de l'édifice pour
une source d'instabilité , et un principe
de répulsion. Sous l'ancien gouvernement,
la France étoit une réunion de provinces,
acquises dans différens tems et à différentes
conditions, différentes en constitutions ,
en lois, en langage, en mœurs , en pri-

viléges , en jurisdiction , et en revenu.
Elle avoit l'extérieur d'une simple monarchie ; mais c'étoit, dans le fait, un assem-
blage d'Etats indépendans. Le monarque
étoit dans un endroit roi de Navarre ; dans
un autre, duc de Bretagne ; dans un troisieme, comte de Provence ; dans un qua-
trieme, dauphin de Vienne. Sous ces différentes dénominations, il possédoit, au
moins en apparence , différens degrés
de pouvoir : et il les exerçoit certainement
sous différentes formes. — La masse composée de ces élémens hétérogenes et discordans étoit tenue ensemble par la force
comprimante du despotisme. Cette com-
pression cessant, les provinces devoient
nécessairement reprendre leur ancienne
indépendance, peut-être d'une maniere
plus absolue, que comme membres d'une
république fédérative. Tout tendoit à inspirer un patriotisme *provincial*, et à détruire le patriotisme *national*. Les habitans de la Bretagne, ou de la Guienne se
trouvoient liés ensemble par d'anciennes
habitudes, par des préjugés invétérés, par
des moeurs semblables, par les restes de
leur constitution , et le nom commun de

leur pays ; mais leur caractere, comme
membres de l'empire français, ne pouvoit
que leur rappeler un long et ignominieux
assujettissement à une tyrannie dont ils
n'avoient senti la force que par ses vexa-
tions, et la douceur que par sa négligence. Ces causes auroient formé les provinces en républiques indépendantes, et
l'abolition de leur existence provinciale
étoit indispensable pour empêcher ce démembrement. Il est impossible de nier
que des hommes, qui ne sont unis par
aucune habitude antérieure (quoiqu'on
puisse dire de l'utilité de cette union sous
un autre point de vue), soient moins propres à cette réunion de volonté et de force
qui produit une république indépendante,
que des provinciaux auxquels chaque circonstance offre une attraction locale et
partielle, et une répulsion du centre
commun du système national. Rien n'étoit
plus évident que l'indépendance de ces
grandes provinces, qui n'avoient jamais
été fondues et organisées en un empire ;
et nous pouvons hardiment prononcer,
en opposition à M. Burke, que la nouvelle division du royaume étoit le seul

expédient qui pût empêcher son démembrement en une confédération de républiques indépendantes.

La *division* recherchée *des pouvoirs* est un autre expédient infaillible pour conserver l'unité du corps politique. Les *municipalités* sont bornées à une administration locale et minutieuse ; les *assemblées primaires*, uniquement aux élections ; les *assemblées de district* à des objets d'administration, et de contrôle d'une classe supérieure ; et les *assemblées de départemens*, qui pourroient, plus que les autres , inspirer des craintes, ne possedent que des fonctions purement électorales. Elles élisent des juges, des législateurs , des administrateurs , et des ministres de la religion ; mais elles n'exercent aucune autorité législative, administrative ou judiciaire. Dans toute autre capacité que celle d'exécuter leurs fonctions électorales , de voter une adresse , une intruction ou une censure, ceux qui les composent ne sont que de simples citoyens (1).

______

(1) Comparez ces raisonnemens avec ceux de M. de Calonne à cet égard. « *Que faut-il penser de l'éta-*

Mais quelque danger que l'on pût d'ailleurs appréhender de l'usurpation de pouvoir par ces assemblées formidables, les dépositaires de ces vastes pouvoirs électoraux sont arrêtés par une autre circonstance qui les affoiblit et les rend incapables d'aucun autre dessein que de celui pour lequel la constitution les a créés. Ils sont renouvelés *tous les deux ans*, et leur nature passagere rend inutile toute usurpation systématique. Car quel pouvoir auroient - ils de dicter à l'assemblée nationale (1), ou quel intérêt les membres de cette assemblée auroient - ils d'obéir aux

-----

» *blissement perpétuel de quatre-vingt trois assem-*
» *blées, composées chacune de plus de six cents ci-*
» *toyens, chargées du choix des législateurs suprêmes,*
» *du choix des administrateurs provinciaux, du choix*
» *des juges, du choix des principaux ministres du*
» *culte, et ayant en conséquence le droit de se mettre*
» *en activité toutefois et quantes* » ? L'objection que nous combattons est citée avec beaucoup de précision par M. de Calonne, depuis la pag. 358 jusqu'à la p. 371 de son ouvrage. La discussion doit être mûrement examinée par ceux qui voudront sonder la législation de France.

(1) Je n'entends pas dire que leur voix n'y sera pas respectée. Cela supposeroit que la législature seroit aussi

mandats de ceux qui ont un pouvoir aussi
passager et aussi précaire que le leur , et
dont aucun d'eux , à la prochaine élection ,
n'auroit peut - être pas une voix à accorder ? La même probabilité donne aux administrateurs de district cette portion d'indépendance que demande la constitution.
Par une raison plus forte encore , les juges
qui sont élus tous les six ans , doivent se
sentir tout-à-fait indépendans de constituans, que *trois* élections successives peuvent si complettement changer. Donc toutes
ces circonstances , la petite étendue des
divisions , la dissolution des liens provinciaux, la distribution recherchée des pouvoirs , et la constitution passagere des
assemblées électorales , paroissent former
une barriere insurmontable contre l'usurpation de pouvoirs que pourroit faire aucun des corps constitués de la France ,

---

insolemment corrompue que celle d'un gouvernement
voisin , qui prétend à la liberté. Je veux seulement dire
qu'ils ne peuvent s'emparer d'assez de pouvoir pour
dicter des instructions à leurs représentans , avec la
même autorité que le font des souverains à leurs ambassadeurs ; ce qui est l'idée d'une république fédérative.

afin de produire une république fédérative. Ainsi, le grand argument de M.
Burke et de M. de Calonne paroît être
réfuté en *principes*, s'il ne l'est pas en
détail.

L'objection qui vient ensuite est particuliere à M. Burke. *La subordination des
élections* a été regardée par les admirateurs des législateurs français comme un
chef-d'oeuvre de sagesse législative. Cela
leur parut une aussi grande amélioration
du gouvernement *représentatif*, que la
représentation l'est elle-même de la pure
démocratie. Il n'y a point d'étendue de
territoire trop grande pour un gouvernement populaire ainsi organisé ; et comme
les assemblées primaires peuvent se diviser autant que l'on veut, l'ordre le plus
parfait s'accommode avec la plus vaste
illusiou de droit politique. Les philosophes supposoient les démocraties petites
par essence, conséquemment foibles ; ayant
de nombreuses assemblées, et conséquemment vénales et tumultueuses. Cependant
cette grande découverte, qui donne de
la force et de l'ordre d'une maniere si parfaite aux gouvernemens populaires, est

condamnée et ridiculisée par M. Burke.
Il considere une connexion *immédiate* entre le représentant et le *premier* constituant comme absolument essentielle à l'idée de représentation. Comme les électeurs, dans les assemblées primaires, n'élisent pas immédiatement les législateurs, il regarde leur droit de suffrage comme nominal et illusoire (1). On remarquera premierement, par l'exposé que nous avons déjà donné, qu'en citant *trois élections intermédiaires* entre les assemblées primaires et la législature, M. Burke a fait une erreur de fait très-grossiere. Le plan du comité de constitution étoit, à la vérité, conforme à l'exposé de M. Burke. Les assemblées primaires devoient envoyer des députés au district, le district au département, et le département à l'assemblée nationale. Mais ce plan fut combattu avec énergie et avec succès. Il fut représenté comme

---

(1) *Pag.* 170—2. « Car pourquoi fait-on compliment d'un choix à ces électeurs primaires, ou plutôt
» pourquoi se moque-t-on de leur bonne foi ? — Ils ne
» peuvent jamais connoître aucune des qualités de celui
» qui doit les servir, et il n'est pas même dans l'obliga-
» tion de les servir ».

tendant à introduire une complication vi-
cieuse dans le gouvernement, et en rendant si tortueux le canal par où la volonté
nationale passe, pour se transformer en
actes publics, à affoiblir son énergie, sous
prétexte de rompre sa violence. Il fut en
conséquence entierement changé. On con-
serva la série de trois élections pour le
choix des administrateurs provinciaux ;
mais les assemblées électorales, dans les
départemens, qui sont les commettans immédiats de la législature, sont *directement*
choisies par les *assemblées primaires*, en
proportion d'un électeur sur cent citoyens (1).

Mais pour en revenir à la question générale, que ces détails n'affectent peut-

______

(1) Le public s'attendra sans doute à la preuve la
plus évidente d'une accusation d'inexactitude aussi forte
contre M. Burke. C'est pourquoi j'en appelle hardiment
au décret sur la nouvelle division du royaume (art 17),
au *procès-verbal* de l'assemblée, du 22 décembre 1789.
Si cette preuve n'étoit pas suffisante, l'autorité de M.
de Calonne (à laquelle il est surprenant que M. Burke
n'ait pas fait attention) la confirme amplement. « On
» ordonne que chacune de ces assemblées (*primaires*)
» nommera un ÉLECTEUR à raison de cent citoyens

être pas beaucoup, j'avoue que je ne vois aucune raison pourquoi le droit d'élection n'est pas aussi susceptible d'être délégué que toute autre fonction civile ; pourquoi un citoyen ne peut pas aussi bien déléguer le droit de choisir des législateurs que celui de faire des lois. Une pareille gradation d'élections, dit M. Burke, anéantit la responsabilité et l'élection substantielle, puisque les électeurs primaires ne peuvent ni connoître, ni faire rendre compte aux membres de l'assemblée.

Cet argument (considérant le systême particulier de M. Burke) m'a paru être le plus singulier et le plus inconséquent qu'il ait fait dans son ouvrage. On est obligé de convenir que la représentation elle-même est une infraction à la plus parfaite liberté ; car le systême le mieux organisé ne sauroit empêcher la possibilité d'une différence entre la *volonté* du peu-

---

» actifs ». —Calonne, pag. 360. « Ces cinquante mille
» ÉLECTEURS (*des départemens*) choisis de deux ans
» en deux ans par les ASSEMBLÉES PRIMAIRES ». *Id.*
ibid. Il est rare que l'ex-ministre s'écarte de la plus grande
exactitude dans les plus petits détails.

ple et celle du *représentant*. Elle est rarement susceptible de responsabilité; car
les secrets de la fraude politique sont tellement impénétrables , et la ligne qui sé-
pare une décision corrompue d'un jugement erroné si imperceptible , que les
cas où les députés pourroient être proprement responsables, sont en trop petit nombre pour être cités comme des exceptions.

Leur *renvoi* est la seule punition que l'on
puisse infliger ; et tout ce que peut obtenir la meilleure constitution, est une *grande
probabilité* d'union entre le commettant
et son député. Cela semble obtenu dans
les arrangemens de la France. Les électeurs des *départemens* sont si nombreux,
et élus d'une maniere si populaire, qu'il
y a la plus grande *probabilité* qu'ils
sont mus dans leurs élections et leurs
réélections par les sentimens des assemblées primaires. Ils ont trop de points de
réunion à la masse générale pour avoir
une opinion isolée, et une existence trop
passagere pour avoir un intérêt séparé.
On doit d'ailleurs remarquer qu'ils viennent directement du milieu du peuple ,
avec toutes ses opinions , ses prédilections

et ses inimitiés , à leurs fonctions d'électeurs ; et il n'est pas probable que , res-
tant trop peu unis pour acquérir un esprit
de corps , ils aient d'autre volonté que
celle de leurs commettans. Cela est vrai ,
dans les cas où le mérite ou le démérite
des candidats est supposé être parvenu
aux assemblées primaires. Dans les cas plus
nombreux, où ils sont trop obscurs pour
s'attirer cette attention, sans rendre des
visites aux électeurs , cette délégation est
encore plus sage (1). Le paysan ou l'ar-
tisan qui est électeur primaire, connoît
fort bien, parmi ses égaux, ou ses supé-
rieurs *immédiats*, des hommes qui ont
assez de lumieres et d'honnêteté pour choisir un bon représentant. Mais il rencontre
rarement dans cette classe (la seule qu'il
connoisse suffisamment pour pouvoir en
juger), un homme qui ait assez de génie ,
de loisir ou d'ambition pour cette situation. Il est en état de juger parfaitement

---

_ (1) Les personnes , en Angleterre , qui désirent être
élues membres du parlement , font des visites aux électeurs, pour les supplier de leur accorder leur voix : et
c'est ce qu'on appelle *canvassing*.

les

les candidats, pour être électeurs du *département*. Mais « si on le complimen-
» toit, ou plutôt si on se moquoit de lui »,
en lui accordant le droit d'élire directement au corps législatif, il seroit forcé,
dans le tumulte, la vénalité, et l'ivresse
d'une élection populaire, de donner son
suffrage, sans avoir *la possibilité* de connoître la situation, le caractere, et la
conduite des candidats. L'opinion de M.
Burke est tellement erronée, que cet arrangement, dans la constitution française,
est le seul qui puisse procurer substantiel-
lement, et de bonne foi, l'exercice d'un
choix délibéré dans le constituant.

Ce fut la nécessité qui suggéra aux français cette *hiérarchie* d'élections. S'ils l'a-
voient rejetée, ils n'avoient plus que l'alternative d'assemblées électorales tumultueuses, ou d'une législature tumultueuse.
Si les assemblées primaires étoient divi-
sées de maniere à prévenir le tumulte,
leurs députés seroient si nombreux, que
l'assemblée nationale ne seroit elle-même
qu'une populace. Si le nombre d'assemblées électorales étoit égal au nombre des
députés qui doivent former la législature,

P

chacune d'elles seroit, d'un autre côté, assez nombreuse pour faire aussi une populace. Je n'apperçois pas cette grande inconvenance, dont M. Burke fait mention, à déléguer le droit d'un choix *personnel*. Ce droit est dans tous les Etats délégué aux grands officiers, à qui on confie le pouvoir de nommer leurs agens subalternes. Il est délégué dans les affaires les plus ordinaires de la vie, quand nos *derniers* représentans sont trop éloignés de nous pour être à portée de notre surveillance.

Ce qui est bien remarquable, c'est que M. de Calonne, en adressant (1) son ouvrage à un peuple éclairé par les grandes discussions auxquelles ces sujets ont donné lieu, malgré toute la ferveur de son zele pour blâmer les nouvelles institutions, n'a pas hasardé cette objection. Ce n'est pas le seul exemple où cet ex-ministre a montré plus de respect pour la nation à

____

(1) « De tous les pouvoirs à déléguer par ceux qui
» ont des moyens quelconque de juger, le moins propre
» à cette délégation est celui qui a rapport à un choix
» personnel ». Burke, pag. 271.

laquelle il s'adressoit, que M. Burke n'en
a eu pour le jugement et les connoissances
du peuple anglais (1).

En voilà assez sur les élémens qui doivent servir à la formation du corps législatif. Il reste encore différentes questions
à résoudre touchant ce corps, ainsi constitué. Son *unité* on sa *division* sera susceptible de longues discussions ; et les admirateurs zélés de la constitution anglaise

-----

(1) Quoique cela soit peut-être étranger à notre objet, je crois qu'on peut faire là-dessus une remarque
intéressante. Elle démontrera la différence d'opinions
entre le parti aristocratique de France, et les chefs de
l'Angleterre. — M. de Calonne (*pag.* 383) dit, avec
justesse, que l'*instruction unanime* de la France à ses
représentans étoit de décréter que *tous* les citoyens
fussent également admissibles aux emplois! — L'Angleterre conserve l'acte *du teſt* ! — Les dispositions
de M. Necker pour les élections aux Etats généraux,
et le plan de MM. Mounier et Lally, pour la nouvelle
constitution, contenoient une représentation du peuple
à peu près exacte. Cependant cette idée est regardée,
en Angleterre, avec horreur! Les plus grands *aristo-*
crates de France approchent plus de la croyance d'une
liberté générale, que les politiques les plus populaires
d'Angleterre; ce qui est prouvé par ces deux circonstances.

P 2

regarderont comme de la plus grande importance de déterminer si la France auroit
pu atteindre à quelque chose qui ressem-
blât à l'organisation du corps législatif anglais , si cela étoit utile, ou si elle auroit
dû poursuivre cet objet, en cas qu'elle pût
l'obtenir. M. Burke n'a rien affirmé avec
plus de confiance que la facilité avec laquelle on auroit pu construire une constitution anglaise , des débris de la liberté
de la France , renversée depuis si long-
tems (1). Mais il n'a ni expliqué la méthode, ni marqué les limites de cette position générale. Rien n'est plus favorable

______

(1) Pour mettre cette opinion dans un plus grand
jour, j'ai rassemblé les principaux passages dans lesquels il l'a annoncé ou insinué. « Dans vos ANCIENS
» ÉTATS , vous possédiez cette variété de parties qui
» correspondent avec les différentes descriptions dont
» votre communauté étoit heureusement composée ».
(BURKE , p. 50). « Si, vous méfiant de vous-mêmes ,
» et ne voyant pas clairement la constitution presque
» effacée de vos ancêtres , vous aviez regardé chez vos
» voisins ici, qui avoient conservé les principes et les
» modeles de la loi commune de l'Europe, améliorés
» et adaptés aux tems actuels ». (*Id.* p. 53). « N'ont-
» ils jamais entendu parler d'une monarchie gouvernée
» par des lois, contrôlée et balancée par les grands

à la popularité d'un ouvrage que ces généralités pompeuses, assez légeres pour
passer pour comptant chez le vulgaire,
et pour devenir les maximes de la croyance
du peuple. Lorsqu'elles ont passé par le
creuset de la définition, elles sont trop
simples et trop précises pour être susceptibles d'éloquence, trop froides et trop
abstraites pour devenir populaires. Mais
présentées comme elles le sont par M.
Burke, elles flattent l'orgueil et l'indolence du peuple, qui apprend ainsi à répéter ce qui mérite des applaudissemens,

------

» biens héréditaires, et la dignité héréditaire d'une na-
» tion, et tous deux restreints encore par la raison et
» les sentimens du peuple, agissant par un organe
» convenable et permanent » ? (*Id.* pag. 184). Et dans
la même page, il représente la France comme une
nation qui avoit « en son pouvoir d'obtenir aisément
» un pareil gouvernement, ou *plutôt de l'affermir,*
» *puisqu'elle le possédoit déjà.* » — « Je devois penser
» qu'un pareil gouvernement méritoit bien qu 'on aug
» mentât ses perfections, qu'on corrigeât ses défauts,
» et que ses *facultés* fussent transformées en une cons-
» titution anglaise ». (*Id.* pag. 295). La question pré-
cise est de savoir si l'ancien gouvernement de France
possédoit des *facultés* susceptibles d'être améliorées et
changées en une constitution anglaise.

P 3

sans aucun effort de génie, et ce qui impose silence, sans aucune peine de réfutation ; ce que l'on peut acquérir sans étude, et prononcer sans être entendu. De cette nature sont ces assertions vagues et hardies, qui, sans fournir aucune idée définie, offrent un jargon tout prêt aux préjugés vulgaires, flatteur pour la vanité de la nation, et sanctionné par un nom célebre. Il est nécessaire d'examiner avec plus de précision de quelle maniere la France auroit pu assimiler les restes de son ancienne constitution à la législature anglaise. Je ne vois que trois méthodes : la conservation des *trois* ordres séparés ; la réunion du clergé avec la noblesse dans une chambre haute, ou un mode de choisir de ces deux ordres un corps comme la chambre des pairs en Angleterre. Si les insinuations de M. Burke ne marquent pas l'un ou l'autre de ces plans, je ne sais pas ce qu'elles signifient. La premiere méthode (les trois ordres séparés avec des priviléges égaux) n'auroit été ni selon l'esprit, ni selon la forme de la constitution anglaise. En convertissant le clergé en un membre intégrant et co-ordonné de notre législature , on auroit eu quelque ressemblance de la forme ; mais cette ressemblance auroit été bien foible. Il auroit fallu armer notre clergé d'une masse immense de propriétés , rendue encore plus formidable par l'accumulation de biens considérables en peu de mains , le constituer en effet le même corps que celui de la noblesse , en lui accordant le monopole des grands bénéfices , et donner à cette aristocratie clerico-militaire , sous sa double forme de clergé et de noblesse, *deux* voix séparées et indépendantes dans la législation. Ce double corps , nécessairement dépendant du roi , seroit, sous les deux formes , devenu l'organe de sa voix. Le monarque, de cette maniere , auroit eu *trois* négatives : l'*une* reconnue , et dont il ne se sert pas ; deux cachées et continuellement en activité contre la *simple* voix qu'une formalité impuissante et illusoire avoit accordée au tiers - état. C'est ainsi que le parlement d'Angleterre auroit dû devenir , pour ressembler , sous le moindre point de vue, à la division de la législature française , selon ces anciens ordres qui formoient les assemblées gothi-

ques de l'Europe. Cet arrangement paroissoit si monstrueux, que même, sous le
regne du despotisme, M. de Calonne avoit
proposé le second plan (1); — que le clergé
et la noblesse formassent une chambre
haute, pour exércer, conjointement avec
le roi et les communes, l'autorité législative. Cependant il est très - clair qu'une
pareille constitution auroit été diamétra-
lement opposée au gouvernement anglais,
dans son esprit et dans ses principes. Cela
deviendra plus clair encore par les différentes descriptions de la noblesse de France
et de celle d'Angleterre. En Angleterre,
les nobles ne forment qu'un petit corps,
qui tient à la masse du peuple par une
multitude innombrable de points de réu-

---

(1) Voyez sa lettre au roi du 9 février 1789. Voyez
aussi sur l'Etat de France, &c. *pag.* 167. Cela étoit
aussi demandé, selon M. de Calonne, dans les cahiers
de la noblesse de *Metz* et de *Montargis*. Il est bon
de remarquer, en passant, que la proposition de changemens si considérables, même par la noblesse, est une
preuve incontestable de la conviction générale qu'une
révolution ou un changement total dans le gouvernement
étoit nécessaire. C'est donc une réponse sans réplique à
M. Burke et à M. de Calonne.

nion, qui en reçoit continuellement de nouvelles infusions, et qui y fait refluer la majorité de ses enfans, sans distinction et sans priviléges. En France, ils formoient une nombreuse *cast* isolée, séparée de la société par toutes les barrieres que le préjugé ou la politique peut suggérer, ne recevant qu'une très-petite augmentation de plébéiens, et privée, par le caractere ineffaçable de sa noblesse, patrimoine de tous ses enfans, de la possibilité de jamais retourner à la masse centrale, même dans ses derniers descendans. Les nobles d'Angleterre sont un *sénat* de 200. La noblesse de France étoit une *tribu* de 200,000. La noblesse n'est héréditaire, en Angleterre, qu'autant que son objet, le maintien d'un sénat héréditaire le demande. C'est pourquoi elle ne descend qu'à un seul héritier. La noblesse, en France, étoit héréditaire d'une maniere aussi étendue que son objet réel, le maintien d'une classe privilégiée, le prescrivoit. Elle descendoit donc à tous les enfans mâles.

Il y a d'autres points de ce contraste encore plus importans. La noblesse de France étoit tout à la fois *formidable*, par l'immensité de ses *propriétés*, et *dépendante* à cause de l'indigence de cette foule patricienne de *cadets*, à qui l'honneur inspiroit la bassesse, et que la bassesse écartoit du chemin de l'indépendance. Elle possédoit effectivement une si grande portion de propriétés territoriales, qu'on pouvoit justement et presque exclusivement la regarder comme propriétaire de toutes les terres du royaume. A cette propriété formidable étoient ajoutés les revenus du clergé, accaparés par ses enfans. Les branches cadettes de ces familles opulentes n'avoient en général d'autre patrimoine que leurs titres et leur épée. Elles étoient donc réduites à chercher de la fortune et de la distinction dans l'état militaire dépendant de la couronne. Si elles étoient généreuses, l'habitude du service militaire les dévouoit, par loyauté, au roi. Si elles étoient prudentes, l'espoir de l'avancement militaire les lui dévouoit également par intérêt. — Quelle influence immense et irrésistible auroit donc eu le roi dans les élections, si la majorité des représentans avoient été serviteurs et créatures de la couronne ! Que penseroit-on

en Angleterre d'une chambre de pairs, qui,
possédant d'*ailleurs* toutes les propriétés territoriales du royaume, auroit nécessairement eu, tous les sept ou tous les trois
ans, une majorité de ses membres *nom-
mée* par le roi ? Cependant elle seroit encore préférable à la chambre haute de M.
de Calonne ; car les capitalistes et le commerce d'Angleterre, qui continueroient
d'être représentés par les communes, sont
importans et formidables ; au lieu qu'en
France ils ne sont rien, en comparaison.
Ç'auroit été un gouvernement où l'aristocratie n'auroit pu avoir de force que
contre le peuple, et auroit été impuissante contre la couronne. Ce second arrangement répugne donc autant à la *théorie*
de la constitution britannique, que le
premier. Il ne reste conséquemment que la
méthode de choisir un corps d'entre les
nobles et les ecclésiastiques pour former
une chambre haute : et il y a à cela des
objections insurmontables. Si le droit de
former ainsi une branche de la législature,
par un *simple* acte de sa prérogative, avoit
été accordé au roi, cela auroit augmenté
son influence à un degré terrible, dans

tous les tems , et auroit été funeste au moment d'une réforme politique. Si les provinces ou la législature avoient adopté une méthode d'élection , ou si on en avoit laissé la nomination à la couronne avec des restrictions , cette nouvelle dignité auroit été recherchée avec une activité de corruption et d'intrigue , dont il est impossible de calculer le danger dans des tems de convulsions. Aucun principe général d'élection , tel que celui de l'*opulence* ou de l'*antiquité* , n'auroit remédié au mal ; car les nobles , exclus et *dégradés* , auroient senti le principe que la noblesse étoit le patrimoine égal et inaliénable de tous ; par l'abolition de la noblesse , aucun noble ne fut *dégradé* ; car dégrader , c'est abaisser d'un rang qui continue d'exister dans la société. Aucun homme ne sauroit être *dégradé* , lorsque le *rang* qu'il possédoit cesse d'exister. Mais si le rang de la noblesse étoit resté , selon la méthode dont nous avons parlé, le grand corps des nobles auroit , proprement et dans un sens *pénal*, été dégradé. La dignité des nouveaux pairs auroit entretenu le souvenir de ce qu'il possédoit autrefois,

et l'auroit porté à des entreprises beaucoup
plus funestes que le ressentiment d'une indi-
gnité qui est beaucoup moins sensible, parce
qu'elle porte sur un plus grand nombre, et
qu'elle est également infligée sur les plus
grands, comme sur les plus obscurs.

L'impossibilité de ce que M. Burke suppose si facile à obtenir, étoit réellement
si évidente, qu'aucun parti de l'assemblée
ne suggéra l'imitation du modele anglais,
systême de ses oracles dans la politique
de France (1). MM. Lally et Mounier ap-
procherent davantage de la constitution
des Etats de l'Amérique. Ils proposerent
un sénat qui seroit à vie, choisi par le
roi dans un certain nombre de candidats
présentés par les provinces (2). Ce sénat

---

(1) « De quelle maniere sera composé le sénat ?
» Sera - t- il formé de ce qu'on appelle aujourd'hui la
» noblesse et le clergé ? Non sans doute. Ce seroit per-
» pétuer cette séparation d'ordres, cet esprit de corpora-
» tion, qui est le plus grand ennemi de l'esprit public ».
Pieces justificatives de M. Lally-Tollendall, *p.* 121.

(2) « Après avoir examiné et balancé tous les incon-
» véniens de chaque parti, peut-être trouvera-t-on que
» faire nommer les sénateurs par le roi, sur la pré-
» sentation des provinces, et ne les faire nommer qu'à
» vie, seroit encore le moyen le plus propre à concilier
» tous les intérêts ». *Id.* p. 124.

devoit jouir d'une négative absolue sur les actes de législation, et former la haute cour nationale, pour juger les criminels. En effet, un pareil corps auroit formé une aristocratie beaucoup plus vigoureuse que la pairie d'Angleterre. Ce dernier corps ne conserve sa dignité qu'en renonçant sagement à l'usage de son pouvoir. *Potentia ad impotentiam abusi* seroit autrement la description de son sort. Mais le sénat de M. Mounier seroit une aristocratie modérée et légalisée, qui, par cela même qu'elle *paroîtroit* avoir moins d'indépendance, seroit, dans le fait, plus portée à en exercer davantage. Tirant également son droit du peuple, comme la chambre des communes, et possédant un dépôt plus étendu et de plus de dignité, il ne craindroit pas davantage d'en venir aux prises avec les communes qu'avec le roi. La permanence de son autorité lui donneroit un avantage sur les premieres, et le prétexte spécieux de sa cause sur le dernier : et il est probable qu'il finiroit par les subjuguer tous deux. Ceux qui croient qu'un sénat à vie ne peut pas être infecté de l'esprit de corps, n'ont qu'à considérer les anciennes cours de justice de France , qui étoient aussi fortement possédées de cet esprit qu'aucun ordre de nobles héréditaires qui ait jamais existé.

Mais quittons les détails de ces systêmes. — Il s'éleve une question d'une nature plus générale et plus difficile pour notre examen. — Savoir, *si un simple corps législatif représentant , ou une constitution de pouvoirs qui se contrôlent mutuellement , est la meilleure forme de gouvernement* (1)? — L'objet et les limites de cet ouvrage (qui est déjà beaucoup plus volumineux que je n'avois dessein de le faire) ne me permettent pas de traiter cette question à fond ; mais je pourrai donner quelques principes généraux, desquels peut-être dépend particulierement la décision de la question.

I. On ne niera pas que l'objet d'un corps législatif représentant ne soit de recueillir la volonté générale. Pour être d'accord

____

(1) Cette question, en style familier, pourroit être posée ainsi : — « *Les plus sûrs garans de la fidélité du service sont-ils la vigilance du maître ou les querelles des valets* » ?

avec ce principe, il faut qu'il y ait la même unité entre la VOLONTÉ *représentante* et la VOLONTÉ *originaire*. — Cette volonté est UNE. Elle ne sauroit donc être *doublement* représentée. Le corps social suppose une unité parfaite, et la volonté d'aucun homme ne sauroit avoir deux organes discordans. Toute négative *absolue* (1), opposée à la volonté nationale, décidément prononcée par ses représentans, est, dans le fait, nulle, comme une usurpation de la souveraineté du peuple. Jusqu'ici le principe abstrait d'un gouvernement *représentatif* condamne la division de la législature.

II. Tous les corps qui possedent effectivement un droit de contrôle, ou de négative, ont une tendance vers un grand mal, que toutes les lois ont jusqu'ici entretenu, quoique le but de la législation soit de le réprimer ; savoir, la prépondérance des intérêts partiels. L'esprit des corps

____

(1) *Le véto suspensif* accordé au roi de France n'est qu'un appel au peuple sur la conduite de ses représentans. Lorsque la voix du peuple est clairement entendue, le *véto* cesse.

s'empare

s'empare infailliblement de toutes les corporations publiques , et la création de
toute nouvelle assemblée crée un ennemi
nouveau, adroit et vigilant contre l'intérêt
général. Cela seul fournit une objection
suffisante contre un sénat contrôleur. Un
pareil corps seroit plus particulierement
susceptible d'être imbu de cet esprit contagieux. Un corps représentant n'en peut
même être préservé que par ces fréquentes
élections , qui rompent les combinaisons, et y répandent une nouvelle portion des sentimens du peuple. Admettons
qu'une assemblée populaire puisse quelquefois être entraînée dans des décisions
mauvaises par la séduction de l'éloquence,
ou la fureur de parti ; admettons qu'un
sénat contrôleur puisse remédier à ce mal ;
mais n'oublions jamais qu'il vaut mieux
*se tromper quelquefois sur l'intérêt public,
que de souffrir qu'on s'y oppose systématiquement.*

III. On pourroit peut-être prouver que
ces gouvernemens , balancés et contrôlés ,
n'ont jamais existé que dans l'imagination
des théoristes. Le meilleur exemple qu'on
puisse citer, c'est la constitution anglaise.

Q

S'il est possible de prouver que les deux branches de la législature , que l'on prétend devoir se contrôler mutuellement, sont dirigées par la même classe d'hommes, il faut convenir que le contrôle n'est qu'imaginaire. Cette opposition d'intérêts , supposée devoir prévenir toute conspiration contre le peuple , n'existe plus. L'examen le plus superficiel nous prouvera que c'est là l'état de l'Angleterre. Les grands propriétaires , titrés et non-titrés , possedent toute la force des deux chambres du parlement , qui n'est pas immédiatement dépendante de la couronne. Les pairs ont une grande influence dans la chambre des communes. Tous les partis politiques sont formés par une confédération des membres des deux chambres. Le parti de la cour se forme par l'influence de la couronne qui agit également dans toutes deux, et est soutenu d'une partie de l'aristocratie indépendante. Le parti de l'opposition , par le reste de l'aristocratie des communes et des pairs. On voit ici tous les symptômes de la collusion , et aucun vestige de contrôle. Le seul cas en effet où ce contrôle pourroit exister , seroit quand l'intérêt des pairs est différent de celui des autres grands propriétaires. Mais ces intérêts différens sont en petits nombre, et ont formé une si foible barrière, que l'histoire d'Angleterre ne fournit aucun exemple incontestable de ce contrôle si vanté.

Delolme cite avec beaucoup d'emphase la non-acceptation du bill de la pairie de Georges I. Il paroît que les communes, en rejettant ce bill, ne furent mûes que par la crainte que l'aristocratie n'acquît une force suffisante pour détruire cette balance de pouvoirs qui forme la constitution, si le nombre de pairs étoit limité. Il est malheureux que les théoristes politiques ne consultent pas les causes aussi bien que la *lettre* des actes législatifs. Il est parfaitement connu que la cause qui fit rejeter ce bill fut la démission de M. Walpole (depuis sir Robert) du ministere : et son opposition, ainsi que celle de son parti, doit être considérée *purement* comme une mesure ministérielle. Le débat ne fut guidé par aucun principe général de législation ; c'étoit simplement une expérience pour essayer la force de deux partis qui se disputoient le pouvoir. Le

lecteur aura sans doute une *grande véné-*
ration pour les principes constitutionnels
de ce parlement, lorsqu'il saura que c'est
à lui qu'on doit l'*acte septennal !*

Si un pareil contrôle existoit effectivement avec beaucoup de force, il seroit de
peu d'importance à la question générale.
Si nous voulons en croire M. Burke,
« par une diversité de membres et d'inté-
» rêts, la LIBERTÉ GÉNÉRALE avoit autant
» de garanties qu'il y avoit de différentes
» vues dans les différens ordres ». Si, par
la LIBERTÉ GÉNÉRALE, il entend le pouvoir de ces ordres collectivement pris, la
position est incontestable. Mais s'il veut
dire, ce qu'il devroit entendre, la liberté
du genre humain, rien ne sauroit être
plus faux. Les hautes classes de la société,
sous quelque dénomination qu'elles se pré-
sentent, nobles, évêques, juges, propriétaires territoriaux, ou propriétaires d'im-
meubles, ont toujours été réunies par
une *fin* commune beaucoup plus puissante que ces petites querelles d'intérêts
auxquelles cette variété de professions peut
donner lieu. Quels que soient les conflits
de l'opulence ecclésiastique et séculiere,

de l'opulence territoriale et commerciale ;
elles n'ont qu'un intérêt commun à conserver ; savoir, le rang élevé où l'ordre
social les a placées. Il n'y aura jamais ,
chez les nations civilisées , que deux grands
intérêts , celui des RICHES , et celui des
PAUVRES. La diversité d'intérêts , dans
toutes les différentes classes des riches ,
sera toujours trop légere pour empêcher
leur conspiration contre l'espece humaine.
Cependant il faut conserver les priviléges
de leurs différens ORDRES ; et M. Burke
décidera que LA LIBERTÉ GÉNÉRALE est en
sûreté ! — C'est ainsi qu'un palatin po-
lonais harangue à la diéte , sur la liberté
de la Pologne, sans rougir du souvenir
de ses serfs. — C'est ainsi que l'assemblée
de la Jamaïque , au milieu de l'esclavage
et des ventes de chair humaine, en appelle
indignement aux principes de la liberté.
—C'es ainsi que l'antiquité , avec sa prétendue philosophie politique, ne sauroit
se vanter d'un seul philosophe qui ait mis
en question la justice de l'esclavage, ni
avec sa prétendue vertu publique, d'un
philantrope qui ait déploré la misere des
esclaves.

Q 3

Il reste une circonstance de plus touchant la législature ; c'est l'exclusion des ministres du roi. Je désapprouve entierement ce *décret exclusif.* — Je regarde *toute privation d'un droit* comme également injuste dans ses principes, ruineuse par son exemple , et impuissante pour ses prétendues fins. La présence des ministres, dans l'assemblée nationale , auroit été d'une grande utilité : d'abord , par rapport aux affaires , et peut-être favorable à la liberté publique , en donnant de la publicité à leurs opinions. Les exclure de la législature , c'est les dévouer entierement aux vues du roi, en ne leur donnant aucun intérêt à la constitution. L'influence publique des ministres n'a jamais été formidable. Il n'y a de redoutable que cette influence secrete et indirecte que cette exclusion les mettra peut - être en état de pratiquer avec plus de succès et d'impunité. On doit aussi observer que cela équivaut à exclure du ministere tous les gens d'un mérite supérieur. L'objet d'une ambition libérale sera de siéger dans l'assemblée suprême ; et aucun homme de génie n'acceptera , et recherchera encore moins des places dégradées , qui l'empêchent de parcourir la sphere naturelle de ses pouvoirs.

Je n'ai pas encore formé d'opinion décidée sur le plan de l'ORDRE JUDICIAIRE de l'assemblée. C'est presque une expérience à faire , de savoir s'il est possible de former un code de lois assez simple et assez intelligible pour pouvoir se passer de la profession d'hommes de loi (1). De tous les essais de l'assemblée, les relations compliquées de la société paroissent rendre celui-ci le plus problématique. Elle n'a cependant pas terminé cette partie de ses travaux ; elle pourra probablement remédier à la foiblesse attribuée aux cours de judicature électives des *départemens*, par la dignité et la force qu'elle donnera aux deux hautes cours , *la cour de cassation*

---

(1) M. de Calonne s'oppose trés-fort à l'élection sexennale des juges (*pag.* 294), principalement sur ces principes , que la permanence des offices de juges est le seul motif qui puisse engager les hommes à l'étude des lois , qui peut seule former de bons magistrats.

et la haute cour nationale qu'elle est sur le point d'organiser (1).

Quant au POUVOIR EXÉCUTIF , il y a une remarque préliminaire ; que les avocats , ainsi que les ennemis de la révolution , ont trop négligée. L'assemblée a été accusée de violer ses propres principes , en s'arrogeant le pouvoir exécutif, & ses avocats ont reconnu la vérité de cette accusation. On a oublié qu'elle avoit une double fonction à remplir. Elle devoit non seulement élever une nouvelle constitution , mais outre cela la préserver de la destruction. De-là la nécessité de s'emparer du pouvoir exécutif pendant la crise d'une révolution. Si une vénération superstitieuse pour le principe l'avoit bornée à un travail théorique que le souffle de l'autorité pouvoit tous les jours détruire , c'est alors qu'elle auroit mérité ces épithetes de visionnaire & d'enthou-

---

(1) J'ai lu avec beaucoup de plaisir et de profit les remarques profondes et ingénieuses , quoique quelquefois tenant du paradoxe, de M. BENTHAM sur ce sujet.

siaste dont elle a si souvent été *honorée.*
Il est donc absurde de juger du pouvoir
exécutif de France par son état présent.
Il ne faut pas prendre pour le nouvel
édifice politique ce qui n'est que l'écha-
faudage nécessaire à son élévation. Le pouvoir du premier fonctionnaire ne peut pas
s'estimer sur la foiblesse à laquelle les
convulsions du moment l'ont réduit, mais
sur les provisions faites par la constitution.

La portion de pouvoir dont le roi des
Français est revêtu, est certainement aussi
grande que l'exige la théorie pour le magistrat exécutif. Un organe pour recueillir
la volonté publique, & un bras pour
l'exécuter sont les seuls constituans nécessaires de l'union sociale. Le pouvoir
représentant forme le premier ; le pouvoir
exécutif le second. Les français n'ont pas
hasardé d'aller jusqu'où ce principe pouvoit
les conduire. Il a été dit par M. Burke que
le roi des français n'a pas de négative
sur les lois. Cela n'est cependant pas vrai.
La minorité qui s'opposa à toute espece
de négative de la part de la couronne,
n'étoit composée que de cent membres

sur huit cents qui se trouvoient dans l'assemblée. Le roi a le pouvoir de refuser sa sanction à toute loi proposée, pendant *deux* législatures consécutives. Si cette loi est proposée de nouveau par la *troisieme*, alors il est à la vérité obligé d'accorder sa sanction. M. Necker soutient avec beaucoup d'adresse & d'habileté que cette espece de *veto* suspensif est plus efficace que la négative absolue des rois d'Angleterre (1). Une négative douce & limitée, dit-il, peut être exercée sans danger, & sans exciter la haîne publique, au lieu qu'une prérogative telle que le *veto* absolu, doit devenir impuissante par la jalousie qu'excite son étendue. Elle est trop *grande* pour être exercée, & doit, comme en Angleterre, être abandonnée faute d'usage. Cette négative n'est-elle pas véritablement efficace, qui ne cede qu'à la voix de la nation, exprimée après quatre ans de délibération, et dans deux élections successives de représentans? Quel

____

(1) Rapport fait au roi, dans son conseil, par le premier ministre des finances, à Versailles, le 21 septembre 1789.

est le monarque d'un Etat libre qui pourroit opposer avec décence & avec impunité,
la négative la plus illimitée par la loi, aux
sentimens du peuple , ainsi constamment
et explicitement exprimés ? Le *veto* le plus
absolu , si le peuple insiste , ne peut être
par l'événement que suspensif. Un *veto*
suspensif est donc équivalent à un *veto*
absolu , & son exercice étant moins odieux,
donne dans le fait plus de pouvoir. « Le
» pouvoir de remontrer , dit M. Burke (1),
» dont jouissoit anciennement le parle-
» ment de Paris , est présentement folle-
» ment confiée au magistrat exécutif ».
On croiroit que c'est un pouvoir de remontrer à la *législature* , tel que celui
du parlement de Paris. C'est cependant

---

(1) La *négative* possédée par le roi de France est
exactement *double* de celle qui est confiée à l'assemblée. Il peut opposer sa volonté à celle de tout son
peuple pendant *quatre ans* , terme de deux législatures ,
tandis que l'opposition de l'assemblée au vœu général
ne peut durer que *deux ans* , terme de son existence :
tant on a mis de mauvaise foi , en représentant cette
prérogative comme purement nominale. Tout ceci n'est
qu'un argument *ad hominem* ; car je doute moi-même
de l'utilité d'aucun *veto* royal absolu ou suspensif.

un pouvoir d'une nature bien différente, c'est celui de remontrer à la nation contre ses représentans , la seule part dans la législation qu'un gouvernement libre puisse accorder à son magistrat suprême, soit que ce pouvoir soit nommément *absolu* ou nommément *limité* (1).

M. Burke a briévement (2), et M. de Calonne (3) fort longuement attaqué le systême de l'assemblée sur la prérogative de la PAIX & de la GUERRE.

Selon la constitution française la guerre doit être déclarée par un décret de la législature, sur la proposition du roi. Il possede exclusivement l'*initiative*. Elle ne peut venir d'aucun membre du corps législatif. La premiere remarque que suggere cet arrangement, c'est que sa différence d'avec la *théorie* de la constitution anglaise n'est que nominale. Cette *théorie* suppose une chambre des communes indépendante , une responsabilité rigoureuse et un pouvoir EFFECTIF *d'impéa-*

----

(1) *Pag.* 301.
(2) Burke, *pag.* 295 — 6.
(3) Calonne , *pag.* 170—200.

chment (d'accuser). Si ces suppositions étoient à quelques égards réalisées , il est évident qu'une décision pour la guerre dépendroit entièrement des délibérations de la législature. Aucun ministre n'oseroit harsarder des hostilités sans la sanction d'un corps qui tiendroit une épée suspendue sur sa tête ; et comme cette théorie suppose aussi que la chambre des communes ne reçoit aucune influence de la part du trône, la détermination finale ne dépendroit certainement pas du pouvoir exécutif , à qui il ne resteroit en effet que l'*initiative*. Il est sûr que les formes dans la plupart des cas, visent à la même théorie. Un message du roi annonce des hostilités imminentes , & une adresse du parlement qui promet des subsides et son appui , répete le message royal. Ce n'est que cette adresse , *et cette adresse seule*, qui enhardit & autorise le cabinet à continuer ses mesures. Le message du roi d'Angleterre ressemble à l'*initiative* du roi de France , & si notre pratique étoit aussi pure que notre théorie est spécieuse , cette adresse seroit un *décret* de la législature, pour adopter la proposition du roi. C'est pourquoi tout admirateur sincere et éclairé de la constitution anglaise, *telle qu'elle doit être, et telle qu'on la prétend être*, ne sauroit, sans inconséquence, blâmer un arrangement, qui ne differe du sien que dans les circonstances les plus frivoles. Parler de notre gouvernement pratique, seroit insulter le sens commun. L'on n'y voit plus aucune trace de ces pouvoirs discordans que l'on suppose dans notre constitution théorique. La plus belle simplicité y regne. La même influence dirige les pouvoirs exécutif et législatif. Le même cabinet fait la guerre au nom du roi, et la sanctionne au nom du parlement. Mais la France, manquant du ciment propre à réunir ces pouvoirs discordans, fut réduite à imiter notre théorie, au lieu de notre pratique. Son trésor étoit épuisé : il étoit donc impossible qu'elle adoptât cet admirable système.

En supposant cependant, sans admettre, que cette prérogative formidable ait été plus abrégée en France qu'elle ne l'est par la *théorie* de notre gouvernement, l'utilité de la limitation reste à examiner.

Les principales objections contre sont sa tendance à favoriser l'augmentation des factions étrangeres, et à nuire à la promptitude, si nécessaire aux succès militaires. On peut faire une réponse générale à ces deux objections. Elles viennent toutes deux d'une supposition de guerres fréquentes. Elles supposent toutes deux que la France retiendra une partie de ce système politique qu'elle a désavoué. Mais si elle adhere de bonne foi à ses déclarations, la guerre sera chez elle un événement si rare, que ces objections tombent d'elles-mêmes. Les puissances étrangeres ne sont pas tentées d'acheter des factions dans un empire qui ne se mêle pas de la politique des autres ; et une sage nation, qui regarde une guerre victorieuse comme aussi fatale pour les vainqueurs, que ruineuse pour les vaincus, n'abandonne pas la probabilité de la paix, par la crainte d'une défaite, et n'achete pas l'espérance de la victoire par des provisions pour faciliter la guerre. La France, après avoir renoncé pour toujours à toute idée de conquête, ne sauroit avoir d'autre source probable d'hostilités que ses colonies. Il a été si évidemment démontré , que les possessions coloniales , considérées sous un point de vue commercial , sont inutiles , et que , sous un point de vue politique , elles sont ruineuses , que la conviction des philosophes ne peut manquer d'avoir un jour son effet sur l'esprit de l'Europe éclairée , et de délivrer l'empire français de ce fardeau destructeur et embarrassant.

Mais quand même la scélératesse épuisée, connue sous le nom de politique , seroit adoptée de nouveau en France , ces objections n'en deviendroient pas plus fortes. La premiere , qui paroît formidable et spécieuse , est évidemment fondée sur l'histoire de Suede et de Pologne , et sur quelques faits de celle de la république d'Hollande. C'est un exemple remarquable de ces analogies vagues et éloignées , par lesquelles les sophistes corrompent l'histoire, et en abusent. Des circonstances particulieres , dans la situation de ces Etats, les disposoient à devenir le siége des factions étrangeres. Cela ne provenoit pas de ce que la guerre étoit décidée par des corps délibérans en public ; car si cela avoit été ,

les

les mêmes causes auroient dû exister dans
l'ancienne Rome et à Carthage — dans
la Venise moderne , et en Suisse ; — dans
le parlement républicain d'Angleterre, et
dans le congrès des Etats-Unis de l'Amérique. — La Hollande même , dans une
jeunesse plus vigoureuse , étoit exempte
de ces maux. L'histoire n'en fournit aucune
trace jusqu'au siecle de Charles II et de
Louis XIV , quand , divisée par la jalousie
du commerce d'Angleterre , et la crainte
des conquêtes de la France , elle se jeta
dans les bras de la maison d'Orange , et
força les partisans de la liberté à dépendre
des secours de la France. Dans des périodes plus récentes , des convulsions domestiques ont plus fatalement dévoilé sa
foiblesse , et trop clairement prouvé qu'elle
ne retient plus aujourd'hui , par l'indulgence et la courtoisie de l'Europe , que
l'ombre de cette splendeur , acquise par
l'indolence ignorante des autres nations.
Le cas de la Suede peut bien facilement s'expliquer. Un peuple martial et indigent ,
soit qu'il soit gouverné par un ou par plusieurs despotes , sera toujours vendu par
ses tyrans aux entreprises de l'ambition.

R

opulente ; et des faits récens nous ont prouvé qu'un changement dans le gouvernement de Suede n'avoit pas changé l'esprit *stipendiaire* de son systême militaire. L'exemple de la Pologne est encore moins applicable. Une anarchie indépendante de despotes se *ligue* naturellement de diverses manieres avec des puissances étrangeres. Cependant la force de la Russie a plus fait que son or ; et la Pologne a beaucoup plus souffert par sa foiblesse que par sa vénalité. On ne sauroit supposer aucune analogie entre les circonstances de ces Etats et celles de la France. Je vais hasarder l'événement de la discussion sur un point clair et simple. Toutes les puissances de l'Europe ne pourroient pas dépenser assez d'argent pour former et *entretenir* une faction en France. Admettons la possibilité que la législature de ce riche et vaste royaume se laisse *une fois* corrompre ; mais ne perdons pas de vue qu'il faudroit acheter successivement une série de législatures formées par les élections populaires les plus nombreuses, pour obtenir un ascendant permanent ; et il sera alors évident que tout l'or du Pérou ne sauroit y suffire. Si nous considérons d'ailleurs que leurs délibérations sont soumises à l'oeil pénétrant d'un peuple vigilant et éclairé, la possibilité des factions étrangeres nous paroîtra plus chimérique. Tous les Etats que nous avons cités étoient pauvres ; il étoit donc facile de les corrompre : leur gouvernement étoit une aristocratie ; c'est pourquoi on pouvoit bien *une fois* l'acheter ; le peuple étoit ignorant, et il souffroit impunément que ses gouverneurs le vendissent. L'inverse de ces circonstances sauvera la France, comme il a sauvé l'Angleterre, « *du plus* » *cruel de tous les maux* ». Les richesses des français rendent cette tentative difficile ; leur discernement la rend périlleuse ; la courte durée des pouvoirs fait qu'elle ne vaut pas la peine qu'on la projette, et rend sa permanence impossible. Je ne suis pas enclin à nier qu'en soumettant la décision de la guerre aux délibérations d'une assemblée populaire, cela ne lui ôte beaucoup de son énergie, et ne l'affoiblisse dans ses fins meurtrieres. Néanmoins la France, lorsque sa constitution sera cimentée, doit être invincible, sous un point de vue de *défense* ; et si son gouvernement n'est pas fait pour qu'elle devienne l'agresseur , il n'est pas surprenant que l'assemblée n'ait pas pourvu à un cas que ses principes n'ont pas supposé.

Ceci est le dernier réglement important que M. Burke a examiné touchant le pouvoir exécutif , et il nous conduit à un sujet très-délicat et difficile , qui a fourni grande matiere de triomphe aux ennemis de la révolution — L'ORGANISATION DE L'ARMÉE. Il faut avouer que c'est un problême bien formidable , de concilier une armée de cent cinquante mille hommes , une marine de cent vaisseaux de ligne , une frontiere défendue par cent forteresses , avec l'existence d'un gouvernement libre. On ne sauroit nier que l'histoire n'offre pas d'exemple où une pareille force publique ne se soit pas tournée contre l'Etat, et n'ait pas ensuite servi d'instrument à l'usurpation militaire ; et si le royaume de France n'étoit pas sans exemple , et par conséquent tel , que tous ces argumens de l'histoire ne lui sont pas applicables, la même conséquence seroit

inévitable. Une armée, imbue des sentimens et des habitudes qu'il est du système
de l'Europe moderne d'inspirer, est non
seulement ennemie de la liberté, mais
incompatible avec son existence. Un corps
d'hommes, en possession de toute la force
de l'Etat, et dépouillé systématiquement
de tout sentiment civique, est un monstre
qu'aucune politique raisonnable ne peut
tolérer ; et toutes les circonstances nous
démontrent que l'objet de la législation
française est de le détruire, *non pas comme
un corps de citoyens armés—*, mais comme
ARMÉE DE LIGNE. Cela s'effectuera sagement et graduellement. Deux grandes opérations conduisent à ce but, — en armant
le peuple, et en *popularisant* l'armée.
La premiere de ces mesures, la formation d'une milice bourgeoise, rend la nation indépendante de serviteurs militaires.
Une armée de quatre millions d'hommes
ne peut jamais être forcée par une de cent
cinquante mille ; elle ne sauroit non plus
avoir des sentimens différens de ceux de
la nation, puisqu'elle forme elle - même
la nation. Il est difficile d'imaginer d'où
a pu venir l'horreur de M. Burke contre

cet armement de la *nation*, sous le nom de *gardes nationales*. N'est-il donc plus vrai aujourd'hui que la défense d'un Etat libre ne doit être confiée qu'à ses citoyens? La longue opposition à une armée de ligne, en Angleterre, son admission tardive et pleine de méfiance, et les clameurs perpétuelles pour une milice (à la fin gratifiées d'une maniere illusoire), doivent-elles être regardées comme les sentimens grossiers de nos ancêtres ignorans? L'assemblée a armé les citoyens, et, par ce moyen, a prévenu son propre despotisme et celui de l'armée de ligne. « Elle veut » gouverner, dit M. Burke, » par le moyen » d'une armée ». Si c'est là son systême, sa politique est encore plus misérable qu'il ne l'a représentée : car elle fortifie systématiquement ceux qui doivent être gouvernés, en affoiblissant systématiquement ses moyens de gouverner. Elle augmente la force du peuple, et diminue celle de l'armée. Elle se rend, elle et son armée, dépendantes de la nation, qu'elle arme et fortifie. Une *démocratie militaire*, si on entend par-là un corps de soldats délibérant, est la plus détestable de toutes les

tyrannies ; mais si l'on veut dire un gouvernement populaire, où chaque citoyen
est armé et discipliné , on doit convenir
que c'est le seul gouvernement libre qui ait
en soi les moyens de sa propre conservation.

Les soldats de ligne , rendus impuissans pour tout dessein dangereux, par la
force des gardes nationales , sont induits ,
par bien d'autres circonstances , à abandonner ces habitudes viles et sanguinaires,
qui font la perfection d'un soldat moderne.
Dans les autres Etats, les soldats étoient
généralement esclaves ; ils étoient trop
pauvres pour être citoyens. Mais en France,
un grand nombre d'entre eux jouit de
tous les droits de citoyens. Il n'est donc
pas vraisemblable qu'ils veuillent sacrifier
leur qualité supérieure à leur état infé-
rieur, ou qu'ils fassent valoir leur importance militaire , en commettant un suicide
politique. Cette effusion de connoissances
politiques parmi eux , ridiculisée et ré-
prouvée par M. Burke, est le seul remede
qui auroit pu les fortifier contre les séductions d'un chef ambitieux. Cela seul leur
apprend qu'en se prêtant à ses vues , ils

se mettent sous son joug ; que pour détruire la liberté des autres , il faut qu'ils sacrifient la leur. Ils ont , à la vérité, une force gigantesque , et ils peuvent écraser leurs concitoyens , en renversant l'édifice social ; mais ils seroient eux-mêmes ensevelis sous les ruines. LE DESPOTISME DES ARMÉES EST L'ESCLAVAGE DES SOLDATS. Une armée ne sauroit être assez forte pour tyranniser, à moins qu'elle ne soit elle-même cimentée par la tyrannie *intérieure* la plus absolue. L'effusion de ces grandes vérités perpétuera la révolution dans le caractere des français, comme elle l'a produite. Ils cesseront donc, dans le sens des despotes amateurs de la discipline, de former une armée ; et tandis que les soldats prendront les sentimens des citoyens, et que les citoyens acquerront la discipline des soldats, l'esprit militaire s'étendra, et la profession s'anéantira. Le service militaire deviendra le *devoir* de tous les citoyens, sans être le *métier* d'aucun d'eux (1). Le système de

---

(1) Il faut que j'encoure encore le ridicule de M. Burke, en citant le malheureux citoyen de Geneve, dont la vie fut tourmentée par la froide amitié d'un

l'assemblée tend évidemment vers ce but. S'il faut un corps séparé de citoyens pour former une armée, ils feront probablement le service par rotation. Une certaine somme de service militaire sera exigée de chaque citoyen, et deviendra peut - être, comme dans les anciennes républiques, une qualité nécessaire pour parvenir aux honneurs civils. Dans l'état actuel de la France, la garde nationale est un rempart suffisant contre l'ennemi, en cas qu'elle reprenne ses anciennes habitudes ; et, dans son état futur, il ne paroît pas qu'il existe aucun corps susceptible d'habitudes si dangereuses. « *Gallos quoque in bellis floruisse* » *audivimus* », peut vraiment être le sentiment des français à venir. La gloire de l'héroïsme et l'éclat des conquêtes ont assez

---

philosophe , et dont la mémoire est proscrite par l'enthousiasme alarmée d'un orateur. Je prends la liberté de recommander à tout lecteur son traité intitulé , » *Considérations sur le gouvernement de Pologne* , &c. » ; plus particulierement ce qui regarde le systême militaire. *Œuvres de Rousseau, Geneve*, 1782., tom. II , pag. 381—397. Il est à propos de remarquer que mes autres citations de Rousseau sont de la même édition.

long-tems été le patrimoine de cette grande
nation. Il est tems qu'elle cherche une
nouvelle gloire sous l'étendart de la liberté,
en cultivant les arts de la paix , et en éten-
dant le bonheur du genre humain.—Heureux si l'exemple de ce « manifeste de l'hu-
» manité », adopté par les législateurs de
France dans leur code constitutionnel, produit le même effet sur les nations circon-
voisines.

Tunc genus humanum positis sibi consulat armis
In que vicem gens omnis amet . . . . . .

SECTION V.

Admirateurs anglais justifiés.

C'EST ainsi que M. Burke a parlé des habitans et des mesures d'une nation étrangere, dans des circonstances où le patriotisme ne pouvoit excuser ni ses préjugés, ni son aigreur ; où aucun devoir ni aucune sensation ne pouvoit l'empêcher d'adopter les sentimens d'une postérité désintéressée, et de prendre le ton impartial d'un philosophe et d'un historien. Qu'y a-t-il donc de surprenant de le voir attaquer avec moins de modération, avec toute l'éloquence et toute la véhémence d'un avocat, ses propres concitoyens, à qui il attribue le dessein *infame* d'exciter l'Angleterre à imiter de pareilles énormités. *Les sociétés de la révolution et de la constitution*, et le docteur Price qu'il regarde comme leur oracle et leur guide, sont les grands objets de ses hostilités. Il ne trouve pas pour eux d'insulte assez grossiere, d'invective assez forte, ni d'imputasion assez dégradante. Avoir témoigné de la joie à la chute du

despotisme, est un crime impardonnable ;
qu'aucune vertu ne sauroit compenser, ni
aucune punition expier. On découvre néanmoins fort souvent des inconséquences dans
les disputes littéraires. Il affecte de mépriser ceux qu'il paroît craindre. Sa colere
éleve ceux qu'il voudroit avilir par le ridicule ; et à ceux dont il se moque dans
certains momens, comme trop méprisables
pour exciter le ressentiment, il leur donne,
dans d'autres , une éminence criminelle , en
disant qu'ils sont trop audacieux pour être
traités avec mépris. Leur voix perçante
ressemble tantôt aux cris importuns de ces
maigres et bruyans insectes éphémeres ,
tantôt au bruit sourd et de mauvais augure
de convulsions et de tremblemens de terre
qui doivent déchirer la fabrique de la société. Afin d'exciter contre la doctrine et
les personnes de ces malheureux *sociétaires*
cet orage d'exécration et de dérision , il
ne se contente pas d'invectiver la révolution française , il défigure même tous les
documens de la politique et des lois anglaises.

Ceux qui regrettent que la révolution
de 1688 n'ait pas réformé les institutions ,

avouent cependant qu'elle a établi des principes. Elle a consacré la théorie, quoiqu'elle n'ait pas assuré la pratique d'un gouvernement libre. Elle a prouvé, par un exemple mémorable, le droit du peuple anglais, de reprendre le pouvoir, quand le dépositaire en abuse, de former le gouvernement, et d'accorder la couronne. Il y eut un tems, à la vérité, où quelques misérables sectateurs de Filmer et de Blackwood voulurent s'opposer à cette doctrine ; mais une période de plus d'un demi-siecle les avoit soustrait au mépris public, pour les laisser jouir de l'amnistie et de l'oubli que leur innocente stupidité leur avoit mérités.

Il étoit réservé pour la fin du dix-huitieme siecle de traiter ces conséquences innocentes et évidentes, de libelles contre la constitution & contre les lois. Le docteur Price avoit avancé (sans crainte d'être contredit, je m'imagine) que la maison d'Hanovre devoit la couronne d'Angleterre au choix du peuple anglais ; que la révolution avoit établi notre droit « de » choisir nos gouverneurs, de les enfermer » pour mauvaise conduite, & de faire un

» gouvernement pour nous - mêmes ». La première de ces propositions , s'écrie M. Burke , est ou fausse ou puérile. Si elle veut dire que l'Angleterre est une monarchie élective (1), elle est mal fondée , dangereuse , illégale , & inconstitutionnelle (2). Si elle fait allusion à l'élection des ancêtres de sa majesté au trône, elle ne légalise pas plus le gouvernement d'Angleterre que celui des autres nations, où les fondateurs de dynasties ont généralement fondé leurs prétentions sur une sorte d'élection quelconque. La premiere partie de ce dilemme ne mérite pas de replique. Le peuple peut certainement , comme il l'a fait , *préférer* une monarchie hérédi-taire à une monarchie élective. Il peut *élire* une race au lieu d'un individu. Son droit est dans ces cas également integre. Il est inutile de citer les élections par lesquelles un conseil de barons ou une armée de mercenaires a placé des usurpateurs sur le trône de pays conquis par le *choix , délibéré & solemnel* de la na-

____

(1) Pag. 17.
(2) Pag. 19.

tion, comme en 1688. Il est à la vérité souvent convenable de sanctionner ces titres défectueux par une adhésion subséquente. Il n'entre pas dans les projets d'innovation de la France de faire revivre les prétentions des descendans de Pharamond ou de Clovis, ni d'attaquer les usurpations de Pepin ou de Hugue Capet. La tranquillité publique veut que l'on jette un voile sur les crimes heureux à travers lesquels les rois se sont si souvent traînés sur le trône. Mais pourquoi ne nous rejouirions - nous pas de ce que le premier magistrat d'Angleterre est exempt de cette tâche, de ce que comme une émanation *directe* de la souveraineté du peuple, son origine est aussi légitime que son administration. La position du docteur Price, ainsi entendue, n'est ni fausse, ni puérile. Elle n'est pas puérile, car elle fait une honorable distinction de la monarchie anglaise d'avec les autres gouvernemens du monde; et si elle est fausse, toute l'histoire de notre révolution est fausse. Voici le fait en deux mots, c'est que le prince d'Orange fut élu roi d'Angleterre en dépit des prétentions non seu-

lement du monarque banni et de son fils; mais même des princesse Marie et Anne, descendans reconnus de Jacques II. Il est donc clair que Guillaume III n'avoit aucun droit de *succession* ; et la chambre des communes a d'ailleurs fait brûler le traité du docteur Burnet par la main du bourreau, pour avoir soutenu que c'étoit une *conquête*. Il ne reste donc plus que le droit d'*élection*, car il n'existe point parmi les hommes d'autre droit à la royauté que ces trois-là. Il est puérile de dire que la convention s'est écartée *tant soit peu* de la ligne de succession. Il est vrai qu'elle ne s'en est pas beaucoup écartée ; mais en le faisant, elle a détruit le principe de succession, et établi le droit de s'en écarter, ce qui fait à présent l'objet de notre discussion. Le principe qui justifioit l'élévation de Guillaume III, & la préférence accordée aux descendans de Sophie d'Hanovre sur ceux d'Henriette d'Orléans, auroit également justifié, *en fait de droit*, l'élection du chancelier Jefferies ou du colonel Kirk. Le *choix* devoit, comme tout autre choix, être dirigé

rigé par des vues de politique et de prudence, mais c'étoit toujours un choix.

C'est de là que vient la contradiction
entre la conduite & le langage des révolutionnaires , dont M. Burke a profité.
Leur conduite fut mâle et systématique ;
leur langage conciliant et équivoque. Ils
s'accommoderent aux préjugés qu'ils cru-
rent nécessaires à l'ordre de la société.
Ils en imposerent à l'ignorance du peuple,
en faisant une espece de compromis entre la constitution & la famille proscrite.
» Ils jeterent un voile politique bien
travaillé » , pour me servir des expressions
de M. Burke , sur la piece glorieuse qu'ils
avoient jouée. Ils affecterent de conserver une ressemblance de succession ,
de prendre pour objets de leur élection
les descendans de Charles & de Jacques ,
afin que le respect & la loyauté fussent
transférés au nouveau monarque, en faisant moins de violence aux sentimens publics. Si un jacobite avoit eu la liberté de
parler dans les parlemens de Guillaume III,
il auroit pu attaquer ainsi l'acte d'établissement. — « Le langage de vos statuts

» sera-t-il donc toujours en contradiction
» avec la vérité ? — Vous profanâtes il y
» quelque temps les formes de la dévo-
» tion par des actions de grace , qui ou
» ne signifioient rien , ou insinuoient
» un mensonge. Vous remerciâtes le ciel
» de la conservation d'un roi & d'une
» reine sur le *trône de leurs ancêtres* ;
» expression qui , en signifiant simple-
» ment leurs descendans , étoit frivole ,
» on en voulant insinuer leur droit hérédi-
» taire , étoit fausse. — On nous convoque
» aujourd'hui avec aussi peu d'égards
» pour la vérité, pour mettre la couronne
» d'Angleterre sur la tête d'une princesse
» d'Allemagne , *parce qu'elle* est petite
» fille de Jacques I ; si c'est là , comme
» l'insinue le langage de l'acte, la *véri-*
» *table* et la *seule* raison du choix , il
» faut , pour être conséquent, omettre le
» mot *excellent*, et mettre en sa place ,
» *Victor-Amédée duc de Savoie , marié*
» *à la fille de très-excellente princesse*
» *Henriette* , ci - devant duchęsse
» *d'Orléans, fille de feu notre souverain*
» *seigneur Charles I de glorieuse mé-*
» *moire.* Rendez hommage à la vérité par

» vos actions, ou abjurez-là dans vos pa-
» roles. — Avouez les motifs de votre con-
» duite, et votre fermeté sera respectée
» par ceux qui détestent votre rébel-
» lion ». Je ne sais pas vraiment quelle
réplique milord Somers, ou M. Burke,
auroit faite à cette philippique, à moins
de confesser que les auteurs de la révolution avoient un langage pour les no-
vices, & un autre pour les gens instruits.
Il est inutile d'examiner, & il y auroit
même de la présomption à déterminer si
cette conduite étoit le résultat de la pré-
caution et d'une sagesse consommée, ou
d'une lâche, petite, et arrogante politique qui croyoit qu'on ne pouvoit gouverner les hommes qu'en les trompant.
Mais on ne s'attendoit certainement pas
qu'il s'éleveroit aucune controverse, en
confondant les *principes* avec les *prétextes*. L'assertion du docteur Price n'a
aucun rapport avec les derniers, et c'est
une conséquence incontestable des premiers.

La doctrine de ce *cruel* sermon, qui excite encore l'indignation de M. Burke,
c'est que la révolution a établi « notre

» droit d'enfermer ou d'emprisonner nos
» gouverneurs pour mauvaise conduite ».
Un homme franc et sincere n'auroit ici
vu aucune diversité d'opinion. Soutenir
que la déposition d'un roi pour abus de
pouvoir n'établit pas un principe en faveur d'une semblable déposition, lorsque
le même abus reparoît, est certainement
une des tâches les plus difficiles que le
héroïsme des paradoxes ait jamais entreprises. Il ne s'est cependant pas privé des
moyens d'une retraite. « Aucun gouver-
» nement, dit-il, ne pourroit se soutenir
» un moment, s'il pouvoit être renversé
» par quelque chose d'aussi vague et
» d'aussi indéfini que l'opinion de *mau-*
» *vaise conduite* ». On croiroit, par l'a-
droite légereté avec laquelle les mots *mau-*
vaise conduite sont introduits, que les
partisans de la démocratie ont soutenu
qu'il est utile de déposer les rois pour
une faute frivole et pardonnable, de se
révolter contre un monarque pour le choix
de ses valets titrés ou non titrés, pour
le changement de ses laquais ou de ses
gentilshommes de la chambre. Il auroit
été plus sincere, de la part de M. Burke,

de ne pas avoir dissimulé ce qu'il devoit savoir , que, par *mauvaise conduite* , on entendoit le même genre de mauvaise conduite qui avoit fait détrôner Jacques II , — UNE CONSPIRATION CONTRE LA LIBERTÉ DE SON PAYS.

Rien ne sauroit être plus foible que de citer *l'inviolabilité constitutionnelle* des rois ou des parlemens. La loi ne peut pas les supposer responsables , parce que leur responsabilité suppose la dissolution de la société , qui est l'anéantissement de la loi. Dans les gouvernemens qui ont existé jusqu'ici , le pouvoir du magistrat fait le seul article du contrat social. Si on le détruit , la société est dissoute. Une clause légale pour la responsabilité des rois , insinueroit que l'autorité des lois pourroit exister avec leur destruction. C'est parce qu'ils ne peuvent pas être légalement et constitutionnellement responsables, qu'ils doivent l'être moralement et raisonnablement ; c'est parce qu'on ne peut pas trouver de remede dans l'enceinte de la société , qu'il faut en chercher dans la nature , et jeter nos chaînes de parchemin au nez de nos oppresseurs. Personne ne peut

tirer un exemple de *loi* de la révolution ;
car la loi ne sauroit exister dans la dissolution d'un gouvernement.

On peut seulement *y établir* un exemple de raison et de justice ; et peut-être
les amis de la liberté méritent-ils les calomnies dont on les a accablés pour avoir
confié leur cause à des auxiliaires si fra-
giles et si frivoles, et pour avoir cherché
dans les usages corrompus des hommes,
ce que l'on trouve dans les droits sacrés
de la nature. Le systême des gens de loi
est vraiment bien différent ; ils ne savent
qu'en appeler aux usages, aux exemples,
aux autorités et aux statuts. Ils déploient
leur frivolité recherchée, leur amitié perfide, en *décorant* la liberté de l'honneur
bizarre d'une généalogie. Un plaideur au
Old-Bailey (1), qui voudroit aggraver le
crime d'un voleur, ou d'un assassin, en
prouvant que le roi Jean, ou le roi Alfred, punissoit le vol et le meurtre, ne
feroit qu'exciter la dérision ; un homme
qui prétendroit que la raison pourquoi
nous avons droit à la propriété, c'est parce

____

(1) Endroit où l'on juge les criminels à Londres.

que nos ancêtres en jouissoient il y a
400 ans, seroit justement méprisé. Cependant on entend si peu le sens commun
dans le galimathias mystérieux qui sert
de manteau à la fraude politique, que
les Cokes, les Blackstone, et les Burke
parlent comme si notre droit à la liberté
dépendoit de sa possession par nos ancêtres. Dans les circonstances ordinaires de
la morale, nous rougirions d'une pareille
absurdité ; personne ne voudroit justifier
le meurtre par son antiquité, ou stygma-
tiser la bienveillance , parce qu'elle est
nouvelle. Le généalogiste qui accorderoit
des *armes* à l'un , parce qu'il est aussi
ancien que Caïn, ou qui stigmatiseroit
l'autre parce qu'elle n'est née qu'avec
Howard, seroit désavoué même par les
plus zélés partisans de l'aristocratie. Ce
transport gothique d'une *généalogie* à la
vérité et à la justice, est particulier à la
politique. L'existence de la rapine dans
un siecle, lui sert à la justifier dans un
autre ; et les champions de la liberté ont
abandonné la forteresse des droits pour
recourir aux exemples , qui, lorsqu'ils
sont les plus favorables (et on doit s'y

attendre à cause des siecles qui les fournissent), sont foibles, incertains, par-
tiaux et équi.oques. Ce n'est pas parce
que nous *avons* été libres, mais parce
que nous avons droit d'être libres, que
nous devons demander la liberté. La justice et la liberté n'ont ni naissance, ni
famille, ni enfance, ni vieillesse. Il seroit
aussi absurde d'assurer que nous avons
droit à la liberté parce que les anglais
étoient libres sous le regne d'Alfred, que
de dire que trois et trois font six, *parce
qu'il* en étoit ainsi dans le camp de Gengis-Kan. Bannissons à jamais cette ignoble et ignominieuse généalogie de la liberté. Qu'on ne nous parle plus de ses
ancêtres saxons, danois, ou normans;
que la fille immortelle de la raison, de
la justice, et de la divinité, ne soit plus
confondue avec les vils avortons qui ont
usurpé son nom.

Mais, dira M. Burke, nous ne main-
tenons pas ce droit comme créé par des
recherches de l'antiquité. Nous sommes
bien éloignés de soutenir que la possession
puisse légitimer la tyrannie, ou que le
fait doive être confondu avec le droit.

Mais (en ôtant aux éloges de M. Burke,
sur la sagesse des anglais tous leurs ornemens pompeux), nous disons que l'em-
preinte de l'antiquité annoblit la liberté,
et la fortifie en la rendant plus auguste et
plus vénérable aux yeux du peuple. L'illusion est utile ; l'utilité de l'*imposture
politique* fait donc toute la force de l'argument. Ce principe est odieux et suspect
aux amis de la liberté, comme étant le
grand rempart du despotisme temporel et
spirituel, dans le monde. Avancer que
les hommes ne peuvent être gouvernés
que par la fourberie, c'est calomnier l'entendement humain, et consacrer les frau-
des qui ont élevé les despotes et les mouf-
tis, les pontifes et les sultans, sur les
ruines de l'humanité opprimée et dégradée. Mais cette doctrine est aussi fausse
qu'elle est odieuse. Les premieres vérités
politiques sont simples et en petit nombre.
Il est aisé de les faire comprendre, et
d'inspirer pour le gouvernement le même
intérêt éclairé qui existe dans toutes les
autres affaires de la vie ; on peut le faire
respecter, non pas parce qu'il est ancien,
ou parce qu'il est sacré, non pas parce

qu'il a été établi par des barons, ou applaudi par des prêtres, mais parce qu'il
est utile. On peut facilement apprendre
aux hommes à maintenir des droits qu'il
est de leur *intérêt* de maintenir, et de
remplir des devoirs qu'il est de leur *intérêt* de remplir. C'est le seul principe
de l'autorité qui ne viole pas la justice
et qui n'insulte pas l'humanité, c'est aussi
le seul principe qui possede de la stabilité. Les différentes modes de préjugés,
et les sentimens factices qui ont fait les
bases des gouvernemens, sont des choses
de courte durée. Les illusions de la chevalerie et de la superstition, qui donnent
de la splendeur ou de la sainteté au gouvernement, font place à leur tour à de
nouvelles modes d'opinion, et à de nouveaux systêmes d'usages. La raison seule,
et le sentiment naturel, sont les bases
constantes de toutes les nations, et les
contemporains de tous les siecles. La conviction de l'utilité du gouvernement est
la seule garantie stable et honorable de
l'obéissance.

Il est vrai qu'au moment de la révolution, nos ancêtres étoient bien éloignés

de sentir toute la force de ces sublimes vérités ; et l'esprit public de l'Europe, dans le dix-septieme siecle, n'étoit pas non plus suffisamment éclairé et mûr pour les grandes entreprises de la législation. La science qui enseigne les droits de l'homme, l'éloquence qui inspire l'esprit de liberté, étoient ensevelies depuis des siecles avec les autres monumens de la sagesse et les restes du génie de l'antiquité. Mais la résurrection des lettres ouvrit d'abord à quelques personnes seulement la porte de cette fontaine sacrée. Les travaux nécessaires de la critique et de la lexicographie occuperent les premiers savans, et il s'écoula quelque tems avant que l'esprit de l'antiquité fût répandu chez ses admirateurs. Le premier homme de ces tems - là qui réunit l'élégance du style à la science profonde, mâle, et originale, fut Buchanan (1), et il paroît aussi avoir été le premier qui

____

(1) Il n'est pas peu remarquable que Buchanan ait mis dans la bouche de son antagoniste, MAITLAND, les mêmes alarmes pour la décadence de la littérature, que la révolution française a excitées dans l'esprit de

ait pris des anciens ce noble enthousiasme
pour le républicanisme. Il mérite ces éloges par son traité incomparable,. quoique
négligé , *de jure regni* , dans lequel les
principes de la politique populaire , et
les maximes d'un gouvernement libre ,
sont expliqués avec une précision et une
énergie qu'aucun siecle antérieur n'avoit
égalé, et qu'aucun siecle postérieur n'a
surpassé. Mais les progrès subséquens de
l'esprit humain furent lents. On se mocqua
des vues profondes d'Harrington comme
des folies d'un visionnaire ; et qui peut
s'étonner que la loyauté fanatique , qui
avoit persécuté le Paradis perdu , ait
voulu couvrir d'ignominie l'éloquente apologie de Milton (1) pour le peuple anglais

---

M. Burke. Nous ne pouvons que rire de ces alarmes ,
en relisant l'histoire de l'Europe , jusqu'au 17e siecle ;
et si notre controverse parvient aux savans des siecles
futurs, ils riront probablement aussi, pour les mêmes
raisons , des alarmes de M. Burke.

(1) « Pessime enim vel naturâ , vel legibus compa-
» ratum foret si arguta servitus , libertas muta esset ;
» et haberent tyranni qui pro se dicerent , non habe-.
» rent qui tyrannos debellare possant : miserum esset
» si hæc ipsa ratio quo utimur Dei munere non multo

contre un pédant foible et vénal. Sidney,
» porté par la science des anciens à l'a-
» mour éclairé de la liberté ancienne »,
enseigna les principes qu'il avoit scellés
de son sang ; et Locke, moins digne de
louanges par sa hardiesse et son originalité , que par sa modération, sa solidité,
sa clarté , et sa méthode, mérite l'honneur immortel d'avoir mis en systême et
rendu populaire la doctrine de la liberté
civile et religieuse. En Irlande, Molineux,
l'ami de Locke, produisit « *le cas de l'Irlande* » , ouvrage dont on fait assez
l'éloge en disant qu'il fut condamné aux
flammes par un parlement despotique ;
en Ecosse, André Fletcher, disciple d'Algernon Sydney, soutint la cause de sa pa-

---

» plura ad homines conservandos , liberandos , et *quan-
» tum natura fert* INTER SE ÆQUANDOS quam ad oppri-
» mendos et sub UNIUS imperio malè perdendos argu-
» menta suppeditaret. CAUSAM itaque PULCHERRIMAM
» hàc certè fiduciâ læti aggrediamur ; illinc fraudem ,
» fallaciam, ignorantiam, atque barbæriem ; hinc lucem ,
» veritatem, rationem et sœculorum omnium studia atque
» doctrinam nobiscum stare ».
Joannis Miltoni defenses populi Anglicani apud
opera, tom. II , pag. 238 , édit. Lond. 1738.

trie abandonnée avec toute la force de l'é-
loquence , et de la vertu de l'antiquité.

Voici une énumération rapide de ceux
qui, avant la révolution, ou à peu près
à cette époque, ont contribué à répandre
les lumieres politiques. Mais le nombre
en fut petit ; leurs écrits furent peu populaires , et leurs dogmes proscrits ; l'u-
sage de la lecture ne faisoit alors que
commencer chez le grand corps de l'espece
humaine , que l'arrogance du rang et des
lettres a ignominieusement caractérisé du
nom de vulgaire. Il existoit d'ailleurs plusieurs causes pour créer un grand parti
de *Tories* en Angleterre. Les restes de
ces sentimens gothiques, dont M. Burke
déplore si pathétiquement l'extinction ,
qui faisoient consister la loyauté en un
point d'honneur dans les exploits militaires, en formoient une, que l'on peut
bien appeler le *Toréisme de la chevalerie*.
La doctrine que les rois étoient de droit
divin , aujourd'hui trop oubliée , pour
faire même un sujet de ridicule, étoit
alors soutenue et réverée. — C'est ce
que l'on peut appeler le *Toréisme de la
superstition*. Une troisieme venoit des

·grands transports de propriétés dans le commerce naissant, qui obligerent les anciens propriétaires territoriaux à se réfugier derrière le trône, pour se mettre à l'abri de leurs incursions; c'est ce qui peut s'appeler le *Toréisme de l'aristocratie territoriale* (1). Les préjugés religieux, les outrages faits aux sentimens naturels, que tout système artificiel est trop foible pour supporter, et le cours des événemens qui les porterent à des extrémités que personne n'auroit pu prévoir, envelopperent les *Tories* dans la révolution, et la rendirent véritablement un acte national.

____

(1) Le principe est respectable, même dans ses erreurs ; et ces *Tories*, du dernier siecle, formoient un parti qui avoit des principes. Il y avoit en conséquence parmi eux des gens du plus grand honneur et de la plus grande intégrité. Qui refusera cet éloge à Clarendon et à Southampton, à Ormond et à Montrose? — Mais le *Toréisme* ne sauroit maintenant exister, en Angleterre, comme un parti ayant des principes ; car les principes sur lesquels nous l'avons vu fondé n'existent plus. Le sentiment gothique est effacé, la superstition est épuisée, et les intérêts du commerce et des terres sont entremêlés. Le *Toréisme* d'aujourd'hui ne peut venir que d'un esprit servile ou d'un cœur corrompu.

Mais leur répugnance pour tout ce qui avoit l'air d'innovation, étoit invincible. On doit supposer que les *whigs*, pour l'amour de la paix, avoient fait quelques concessions ; mais il est probable qu'il n'y avoit que très-peu de leurs chefs qui eussent de grandes vues. En effet, que pouvoit - on attendre des délégués d'une nation, où, quelques années auparavant, l'université d'Oxford, qui représentoit la science et la sagesse nationales, avoit, par un décret solennel, voté des remercimens à *sir* Georges Mackenzie (infame pour avoir prostitué les talens les plus brillans aux fins les plus viles et les plus méprisables), parce que, disoit - elle, il avoit réfuté *la doctrine abominable de Buchanan et de Milton , et démontré le droit divin des rois pour tyranniser et opprimer le genre humain !* Il faut avouer qu'un peuple qui pouvoit ainsi, par l'organe du corps le plus savant, prostituer sa raison à des absurdités aussi détestables , étoit encore trop *jeune* pour la législation. De là, les débats absurdes dans la convention touchant les phrases palliatives d'abdiquer, de déserter, &c., qui furent abrégées par

le

le parlement d'Ecosse, lorsqu'il se servit de cette expression juste et mâlé, que la conduite de Jacques II avoit encouru la FORFAITURE DU TRÔNE. C'est de là que les révolutionnaires démentirent continuellement leur conduite politique, par le langage de leurs actes légaux. — De là, leurs réformes impuissantes et illusoires. — De là, leur manque de prévoyance (1), en négligeant d'élever une barriere contre la tendance naturelle d'une succession contestée à accélérer rapidement les progrès de l'influence royale, parce qu'elle devient

____

(1) Les progrès de l'influence du trône ont totalement et véritablement été occasionnés par cette dispute de succession. La succession de la ligne protestante fut le moyen supposé de conserver notre liberté ; et on a malheureusement sacrifié la fin à ces *moyens*. Les *whigs*, sinceres, mais timides amis de la liberté, furent forcés de s'attacher au trône, comme à l'ancre de la liberté, pour la préserver du naufrage ; ils furent obligés d'accorder quelque chose à ses protecteurs. De là une dette nationale, un parlement septennal, et une armée de ligne. La raison avouée des deux derniers maux est le *Jacobitisme*. De là la coalition contre nature entre les *whigs* et les rois pendant les regnes des deux premiers princes de la maison d'Hanovre, que l'éducation de la maison de Leicester a totalement rompue.

T

alors nécessaire pour fortifier le possesseur
de la couronne contre celui qui y prétend,
et en sacrifiant ainsi partiellement la liberté
aux moyens mêmes de la conserver.

Mais pour éclaircir plus amplement la
question , « écoutons les oracles naturels
» de la politique de la révolution », non
pas dans le langage équivoque et palliatif
de leurs statuts , mais dans l'effusion libre
des sentimens manifestés dans cette conférence mémorable entre les pairs et les
communes , le mardi 5 février 1688 , qui
termina l'établissement du gouvernement
actuel d'Angleterre. Les *Tories* , cédant
au torrent pour l'exclusion de la personne
de Jacques II , résolurent d'embarrasser
les *whigs* , en soutenant que la déclaration de l'abdication et de la vacance du
trône étoit un changement du gouvernement, *pro hâc vice* , en une monarchie
élective. La conclusion est incontestable ,
et il faut avouer que quoique les *whigs*
fussent les meilleurs citoyens , les *Tories*
étoient les meilleurs logiciens. C'est dans
cette conférence que nous voyons les chefs
whigs forcés de découvrir, tant de ces principes qu'une délicatesse pour les préjugés,

et un respect pour l'usage, les avoient
engagé à dissimuler. C'est ici que nous
appercevrons sortir du choc des opinions
des étincelles assez fortes pour éclairer
« les ténebres politiques », dans lesquelles
ils avoient enveloppé leurs mesures.

S'il y a quelques noms respectables parmi
les hommes de loi constitutionnels de l'Angleterre, ce sont certainement ceux de
milord Somers et de M. *Serjeant* Maynard. Ils étoient tous deux commissaires
des communes dans cette conférence ; et le
langage qu'ils tinrent justifiera amplement
les conclusions du docteur Price, et le
symbole de foi de la société de la révolution. Milord Nottingham, qui condui-
soit la conférence de la part des *Tories*,
demanda aux commissaires des communes,
d'une maniere qui fait honneur à son
adresse et à son esprit, « s'ils vouloient
» dire que le trône fût *vacant*, de ma-
» niere à annuller la succession dans la
» ligne héréditaire, et à en priver tous les
» héritiers? ce qui, selon nous (les pairs),
» rendra la couronne *élective* ». Maynard,
dont les argumens se serrtoient toujours
de l'ancien esprit républicain, lui répli-

qua avec énergie et franchise : « Les com-
» munes ne disent pas que la couronne
» d'Angleterre DOIVE TOUJOURS ÊTRE ÉLEC-
» TIVE ; mais il est nécessaire qu'il y ait
» un supplément là où il se trouve un
» vuide ». Il est impossible de ne pas comprendre la signification de ces mots. Il
est très-évident, par sa maniere de *nier*,
que la couronne DÛT TOUJOURS ÊTRE ÉLEC-
TIVE, qu'il avouoit que, dans la circonstance actuelle, elle étoit *élective*. Suivant
son argument, il fait usage d'une comparaison qui démontre pleinement sa croyance
en des dogmes entierement réprouvés par
M. Burke. « Si deux d'entre nous faisons
» un accord mutuel de nous aider et de
» nous défendre réciproquement contre
» quiconque nous attaquera pendant notre
» voyage , et que celui qui est avec moi
» se tourne contre moi, et me casse la
» tête, il a sûrement *abdiqué* mon assis-
» tance, et *prévariqué* ». On ne sauroit
trouver des sentimens plus irrévérens et
plus nets de la fonction royale chez les
apôtres les plus profanes, qui déshonorent
les *canons* de la démocratie. Il n'est pas
indigne de remarque qu'il existoit alors des

personnes qui avoient autant d'horreur pour des innovations, universellement reçues depuis, que M. Burke en a pour *les droits des hommes*. Le comte de Clarendon, dans son esquisse sur le discours de M. Somers, dit : « Je puis dire cela en » général, que rompre ainsi le contrat » originaire, est un langage qu'il n'y a » pas long-tems que l'on tient ici, qui n'est » ni connu dans nos livres de lois, ni dans » nos procès - verbaux. Il vient de quel- » ques auteurs nouveaux, et qui ne sont » pas des plus accrédités ». On croiroit que c'est là le langage de M. Burke. Ce n'est cependant pas le sien ; c'est celui d'un LORD *jacobite* du dix-septieme siecle !

Les *Tories* continuerent à tourmenter et à intimider les *whigs*, par l'idée d'*élection*. — Maynard réplique encore : « Le » mot *élective* n'est pas l'expression des » communes. On fera même une clause, » s'il le faut, pour que la couronne ne » soit pas *perpétuellement* élective » . S'il étoit nécessaire de multiplier les citations, pour prouver que la révolution étoit dans toute l'étendue du sens, une *élection*, nous pourrions encore entendre Milord

Nottingham, dont la distinction est particulierement applicable à la question devant nous. « Si , dit - il , vous la rendez » une fois *élective*, je ne dis pas que vous » soyez *tenus* de continuer le mode *d'é-* » *lection* ; mais cela n'est pas suffisant , » puisque , par cet exemple , vous faites » une brêche à la succession héréditaire ». Les argumens de sir Robert Howard , autre commissaire des communes , sont hardis et explicites. « Milords , vous ferez » bien de considérer ; n'avez - vous pas » vous-mêmes limité la succession, et exclu » quelques personnes qui pouvoient avoir » un droit en ligne directe ? N'avez-vous » pas concouru avec nous, en votant qu'il » étoit incompatible avec notre religion » et avec nos lois qu'un papiste régnât sur » nous ? *Ne faut-il* donc pas que nous en » venions à une ÉLECTION, si l'héritier » présomptif est un papiste » ? Exactement ce qui arriva. Mais ce qui tend à éclaircir davantage cette contradiction entre le langage légal, et les principes réels qui forment la base de tous ces argumens, c'est l'aveu de sir Richard Temple , autre commissaire des communes. « Nous avons au-

» tant de droit naturel qu'en avoient nos
» prédécesseurs pour chercher un remede
» dans des circonstances si importantes ».
De là il s'ensuit infailliblement que leur
postérité, dans toutes les générations,
devoit avoir le même droit naturel de chercher des remedes pour les besoins urgens.
Mais voyons leurs statuts. « Les pairs spi-
» rituels et temporels, et les communes,
» au nom de tout le peuple d'Angleterre,
» *se soumettent très-humblement et fidel-*
» *lement, eux, leurs héritiers, et leur*
» *postérité à jamais* », &c. Voici le triomphe de M. Burke. — Une abdication so-
lennelle du droit de changer le monarque
ou la constitution ! Son triomphe est encore augmenté, de ce que cette abolition,
par statuts, des droits des hommes, est
exactement la copie d'une semblable pro-
testation de fidélité faite par le parlement
d'Elisabeth. Il est impossible de concevoir
rien de plus absurde. Au moment même
où ils exercent un droit auquel leurs ancêtres avoient renoncé en leur nom, ils
renoncent au même droit pour leur postérité. Afin d'augmenter le ridicule de cette
farce législative, ils imposent à la posté-

rité une loi *irrévocable*, précisément dans
les mêmes termes de celle que leurs ancêtres leur avoient irrévocablement imposée,
au moment où ils sont occupés de la violer. Le parlement d'Elisabeth s'étoit assujetti lui et sa postérité pour toujours. La
convention de 1688 n'a pas d'égard à cet
engagement pour elle-même, mais le con-
tracte de nouveau pour la postérité. Et
après des inconséquences si palpables, on
vient débiter sérieusement, et d'une maniere triomphante, ce langage flatteur des
statuts, comme les *oracles infaillibles* de
la politique de la révolution.

Il est donc de la derniere évidence, par
la conduite et le langage des chefs de la
révolution, que ce fut une *déposition* et
une élection ; et que toute expression qui
se trouve dans leurs actes, tendante à
faire croire le contraire, provenoit des
restes de leurs préjugés, ou de concessions pour les préjugés des autres, ou d'une
politique superficielle et présomptueuse
qui veut en imposer, par d'augustes illusions, au genre humain. Le même esprit
dirigeoit, les mêmes préjugés empêche-
rent ses progrès dans chaque département.

« Ils agirent, dit M. Burke, par leurs an-
» ciens Etats ». Non, ils ne le firent pas.
—Les pairs, et les membres d'une chambre
de communes dissoute , avec le maire de
Londres, &c., convoqués par un mandat
du prince d'Orange , formoient-ils le parlement d'Angleterre ? — Non : ils n'étoient
ni légalement élus , ni légalement assemblés. Mais ils affecterent la ressemblance
d'un parlement dans leur convention , et
celle d'un droit héréditaire dans leur élection. L'acte subséquent du parlement est
frivole ; car comme cette législature tiroit
toute son existence et son autorité de la
convention, elle ne pouvoit pas plus donner
qu'elle n'avoit reçu , et ne pouvoit pas
conséquemment *légaliser* les actes d'un
corps qui l'avoit créée. Si ces actes n'é-
toient pas antérieurement légaux , le parlement lui - même n'avoit pas d'autorité
légale , et conséquemment ne pouvoit pas
donner de sanction légale. C'est donc sans
faire allusion à une révolution antérieure
ou subséquente que le docteur Price et la
société de la révolution de Londres se
croient en droit de conclure que le pouvoir dont on abuse est révocable, et que

les gouvernemens corrompus doivent être
réformés. Ils ont peut - être une opinion
différente de M. Burke sur la premiere de
ces révolutions, celle de 1648. Ils confes-
sent qu'elle fut dégradée par un mélange
de fanatisme ; ils regrettent sans doute
que l'histoire ait si souvent prostitué ses
éloges peu généreux aux succès , et que
l'éclat de la république ait souvent été obs-
curci par les crimes éblouissans de l'usurpation militaire. Mais ils ne peuvent prétendre avoir été les premiers à maintenir ,
non plus que M. Burke le premier à réprouver , *depuis cette époque* , l'hérésie
audacieuse de la politique populaire. Le
prototype de M. Burke n'est pas un personnage moins remarquable que le prédécesseur qu'il a assigné au docteur Price.
L'histoire a conservé moins de mémoires
d'Hughe Peters que du juge Jeffries. Ce
fut le sort de ce flambeau et de ce modele
des hommes de loi de siéger un jour pour
juger un apôtre fanatique de la démocratie.
Comme cette secte est aujourd'hui dans
une obscurité ignominieuse en Angleterre,
il est nécessaire de dire que le nom de ce
criminel étoit Algernon Sidney. Il avoit,

à la vérité, acquis quelque réputation : il étoit célebre comme le héros, et plaint comme le martyr de la liberté. Mais le savant magistrat étoit au-dessus de ce *fanatisme épidémique*. Il attaqua ses dogmes pestilentiels d'un ton qui prive les invectives de M. Burke contre le docteur Price de toute prétention à l'originalité. Un simple exposé convaincra tellement de la ressemblance qu'il y avoit entre les accusés et les accusateurs, que les remarques seront superflues.

ALGERNON SIDNEY,	LE DOCTEUR PRICE,
(*Accusation contre lui.*)	*Son sermon.*

ALGERNON SIDNEY,

(*Accusation contre lui.*)

« Et que le ci - dénommé Algernon Sidney, a fait, composé et écrit, ou fait faire, composer et écrire un certain libelle faux, scandaleux et séditieux, dans lequel sont contenus les mots anglais suivans.—« Le pou-» voir, *originairement dans* » *le peuple, est délégué au* » *parlement.* —— Le roi est » sujet aux lois de Dieu, » comme homme, et à la » nation qui l'a fait roi, » comme roi ». Et dans un

LE DOCTEUR PRICE,

Son sermon.

« Nous avons le droit » de choisir nos gouver-» neurs, de les emprison-» ner pour mauvaise con-» duite, et de faire » un gouvernement pour » nous-mêmes ».

autre endroit du même li-
belle , il dit : « Nous pou-
» vons donc déposer les rois
» sans secouer aucun joug ,
» ou en secouant ce que l'on
» a rendu joug , et qui n'en
» doit pas être un ; car c'est
» en l'imposant ce joug que
» l'on a fait une injure , et
» il ne sauroit y en avoir
» en le secouant » , &c.

Nous voyons donc l'accord qu'il y a entre les accusés. Ce que dit l'un est évidemment un abrégé de ce qu'avoit avancé l'autre. L'accord des juges n'est pas moins remarquable. M. Burke , « en parlant » comme s'il avoit fait une découverte , ne » fait que suivre un exemple ».

Le juge Jeffries. Sa charge aux jurés.

« Le roi, dit-il, est res-
» ponsable à eux ; il est
» leur mandataire. Il a mal
» gouverné, et il doit rési-
» gner, afin qu'ils puissent
» tous devenir rois eux-mê-
» mes. Messieurs, je dois
» vous presser plus que de
» coutume sur ce point,
» parce que je sais que les

M. BURKE.

« Il plaît à la société
» de la révolution d'affir-
» mer qu'un roi n'est que
» le premier serviteur du
» peuple, créé par lui et
» responsable à lui » ⸺
« La seconde prétention
» de la société de la ré-
» volution, est d'empri-
» sonner le monarque ,

» maux de la derniere re-
» bellion , et la mort de
» notre infortuné roi sur
» l'échafaud , ont été occa-
» sionnés par des principes
» de ce genre » (1).

» pour mauvaise con-
» duite » (*p.* 37). « La
» société de la révolu-
» tion, cette bande hé-
» roïque de fabricateurs
» de gouvernemens , d'é-
» lecteurs de souverains »
(*pag.* 98). Ce sermon
» est d'un genre que l'on
» n'a jamais entendu dans
» aucune église tolérée
» ou encouragée depuis
» 1648 « (*pag.* 13.)

C'est ainsi que M. Burke chante son cantique politique parfaitement d'accord avec le vénérable magistrat; ils condamnent les mêmes crimes; ils imputent les mêmes motifs; ils craignent les mêmes conséquences.

La société de la révolution , par le grand événement qu'elle fait profession de célébrér , sentit de nouveaux motifs de se réjouir de l'émancipation de la France. La révolution de 1688 mérite plus l'attention du philosophe par son in-

______

(1) Procès d'Algernon Sidney, pour haute trahison. *Procès pour crimes d'Etat*, tom. III, pag. 710 et suivantes.

fluence indirecte sur les progrès des opinions humaines, que par ses effets directs
sur le gouvernement d'Angleterre. Sous
le premier point de vue, il est peut-être
difficile d'évaluer la grandeur de ses effets.
Elle consacra, comme nous avons pu le
voir, les principes généraux de la liberté.
Elle donna le premier exemple , dans
l'Europe moderne , d'un gouvernement
qui réunissoit avec stabilité et tranquillité
une ressemblance de liberté *politique*,
avec une grande portion de liberté *civile*.
Mais sur-tout l'Europe lui doit l'avantage
inestimable d'un asile pour la liberté des
pensées : de là l'Angleterre devint le précepteur du monde en philosophie et en
liberté ; de là vint l'école des sages qui
briserent les fers du genre humain; d'où
sortirent les Locke, les Rousseau , les
Turgot, et les Francklin , groupe immortel de précepteurs et de bienfaiteurs du
genre humain. Ils opérerent en silence
une grande révolution *morale*, qui devoit
avec le tems améliorer l'ordre social.
Ils avoient à détrôner des tyrans plus formidables que les rois, et de qui les rois
tenoient leur pouvoir. Ils arracherent le

sceptre à la superstition, et traînerent le préjugé en triomphe. Ils renverserent l'arsenal d'où le despotisme avoit emprunté ses foudres et ses chaînes. Il falloit que les grandes entreprises de l'héroïsme précédassent les réformes du gouvernement civil ; le colosse de la tyrannie étoit miné, et il ne fallut qu'un coup de poing pour le renverser. — De ces progrès de l'opinion, vint la révolution de l'Amérique, et de la même cause, vient indubitablement la délivrance de la France. Rien donc n'étoit plus naturel que ceux qui avoient un respect raisonnable pour les principes de nos ancêtres, sans s'arrêter à une superstition aveugle pour les formes, se réjouissent d'une révolution dans laquelle les principes que l'Angleterre avoit si long-tems laissé reposer dans l'*abstraction*, avoient été mis en usage, expliqués, fortifiés et mûris. Si, comme nous avons eu la présomption de le supposer, la révolution de 1688 n'a pas eu peu de part à accélérer les progrès de la lumiere qui a dissipé les préjugés qui soutenoient le despotisme, on pouvoit bien leur permettre, outre la joie qu'ils

éprouvoient comme amis de l'humanité ,
un peu de vanité comme anglais.

Il faut avouer que nos ancêtres , en
1688 , bornerent simplement leurs vues
dans leurs réglemens pratiques, aux abus
urgens. Ils punirent l'usurpateur sans
améliorer le gouvernement, et ils proscri-
virent les usurpations sans en corriger la
source ; ils se contenterent de clarifier l'eau
du ruisseau, sans purifier la source bour-
beuse. Ils méritent cependant notre vénération pour leurs exploits, et la plus ample amnistie pour leurs défauts : car
les premiers leur étoient personnels, et
les derniers doivent être imputés au siecle
dans lequel ils vivoient. — Les vrais admirateurs de la révolution l'excuseront
d'avoir épargné des établissemens abusifs ,
parce qu'ils la respectent pour avoir établi
de grands principes. Mais le cas de M.
Burke est bien différent ; il canonise ses
défauts , et se moque de ses principes ; et
si milord Somers entendoit des éloges si
mal placés, et des conséquences si recher-
chées , il pourroit justement lui dire :
» Vous nous refusez les seuls éloges aux-
» quels nous pouvons prétendre, et tout
» le

» le mérite que vous nous accordez, sont
» les sacrifices que nous avons été obligés
» de faire au préjugé et à l'ignorance;
» votre gloire fait notre honte ». Le sens
commun nous dit de respecter les principes, et d'excuser les défauts des changemens civils, faits dans des siecles partiellement éclairés. Notre admiration pour
magna charta ne veut pas dire que nous
ayons aucun respect pour le vasselage.
Notre révérence pour le patriotisme des
Romains, n'est pas incompatible avec notre
horreur de l'esclavage; et notre vénération
pour les révolutionnaires de 1688 ne nous
aveugle pas sur les absurdités et les cor-
ruptions grossieres, radicales, et multipliées de leur systême politique. Les vrais
admirateurs des principes des révolutions
ne sauroient respecter comme sages et
propres à maintenir la liberté, des institutions dont l'expérience a démontré la
foiblesse et l'illusion. « La prétention pratique d'accuser », la responsabilité si
vantée des ministres, est le plus pauvre
jargon du charlatanisme politique par lequel on ait jamais tenté d'endormir un
peuple dans l'esclavage. Les poursuites

V

de l'Etat, dans les pays libres, ont, ou
toujours langui dans des longueurs impuissantes, ou fini par un orage de l'indignation populaire, qui défait tout d'un coup
son objet, sans distinguer le crime ou l'innocence. Il n'y a que cette ardeur irrésistible qui puisse détruire les barrieres derriere lesquelles les riches et puissans criminels sont retranchés. Si cette ardeur
n'est pas sur le champ gratifiée, au grand
risque de l'équité et de l'humanité, elle
s'abat. L'influence naturelle du criminel
et des complices intéressés à son impunité, reprend sa place. Comme ces procès
sont nécessairement longs, les faits qui
sont susceptibles de convaincre, et l'éloquence qui excite l'indignation, étant effacés de l'esprit public par le tems, par
la chicane, et par les sophismes, la honte
d'un jugement corrompu est atténuée ; tout
l'odieux et le louche attachés au caractere
détesté d'un dénonciateur, sont dissipés
par les libéralités immenses du criminel.
Le tribunal de l'opinion publique, qui
seul conserve la pureté des autres, est
lui-même pollué, et un peuple fatigué,
dégoûté, irrité, et corrompu, souffre que

le criminel se retire pour jouir de l'impunité et de la splendeur (1). *Damnatus
inani judicio quid enim salvis infamiae
nummis?* Tel a toujours été l'ordre des
choses, lorsque la force du gouvernement
a été suffisante pour protéger l'accusé des
premiers accès de la fureur du peuple.
Les démocraties de l'antiquité nous pré-
sentent des exemples précisément contraires. Mais aucune histoire ne nous offre
un seul exemple d'un juste milieu. Les
procès d'Etat seront toujours ou impuissans ou *oppressifs*, des persécutions, ou
des farces. C'est ainsi que la sûreté des
accusations est illusoire, et que notre
confiance dans le droit de nos parlemens,
est également absurde, selon la constitution actuelle, et avec les pouvoirs qui
leur restent. Pour commencer par ces dernier, ils ont le pouvoir *nominal* d'accuser;
d'abord il y a plus de soixante - dix ans
que ce pouvoir n'a été exercé contre au-

---

(1) Une partie de cette description est purement *his-
torique*. A Dieu ne plaise que la suite soit *prophetique*.
Quand ce sujet offre M. Burke à mon esprit ; je dois dire,
TALIS cum sis utinam noster esses.

cun ministre ; outre cela il arrive toujours trop tard pour remédier au mal, et est probablement toujours trop foible pour punir le criminel. Ils possedent un prétendu pouvoir de refuser les subsides ; mais dans le fait, la situation de la société le leur a ôté. Il faut nécessairement qu'ils votent les subsides : car il faut que l'armée soit payée, et que les créanciers publics reçoivent leurs intérêts. Le plus aveugle bigot ne sauroit nier qu'un pouvoir que l'on ne peut exercer sans causer une insurrection dans l'armée, ou sans annoncer une banqueroute, n'est qu'un pouvoir purement *nominal*. Il exista jusqu'à nos jours un substitut pratique à ces pouvoirs théoriques, dans la *négative* exercée par la chambre des communes sur le choix du ministre du roi. Mais l'élévation de M. Pitt établit un exemple qui extirpa du gouvernement anglais jusqu'à l'ombre du contrôle du peuple. —

. . . . . Olim vera fides

Sulla Marioque receptis libertatis obit

Pompeio rebus adempto nunc et ficta perit.

Dans le fait, la force et les priviléges

du parlement sont presque indifférens au peuple, car il n'est ni le gardien de ses droits, ni l'organe de sa voix. On dit que nous ne sommes pas *également* représentés. Voici une de ces phrases contradictoires qui forment le jargon politique de ces périodes à demi-éclairées. Une liberté inégale est une contradiction par l'expression ; ce ne doit pas être appelé liberté, mais le pouvoir de quelques-uns et l'esclavage des autres ; — l'oppression d'une partie de l'espece humaine par une autre. La loi est la raison délibérée de tous, qui guide *leur* volonté *occasionnelle*. La représentation est un expédient pour recueillir paisiblement, systématiquement, et d'une maniere non équivoque, cette volonté universelle. C'est ainsi que pensoit et parloit l'Edmund Burke d'autrefois. « Suivre, et non forcer l'in-
» clination publique, donner une direc-
» tion, une forme technique et une sanc-
» tion spécifique au sentiment général de la
» communauté, sont les véritables fins de
» la législature ». *Les deux lettres de Burke à des personnes de Bristol*, pag. 52. Ici c'étoit le correspondant de Fran-

klin (1), le champion de l'Amérique, l'avocat éclairé de l'humanité et de la liberté qui parloit ! — Si ces principes sont vrais, et ils sont si vrais qu'il semble presque puérile de les répéter, qui pourroit, sans indignation, entendre dire que la chambre des communes d'Angleterre représente le peuple. Il ne se trouve point d'abus de langage aussi insolent dans le vocabulaire des tyrans ; il lui manque le caractere qui distingue les *lois des ordres arbitraires*, la liberté de l'esclavage, le gouvernement légitime du gouvernement usurpé, *puisque la loi est l'expression de la volonté générale*. C'est-là le grief auquel les admirateurs de la révolution de 1688 désirent remédier, selon ses *principes* ; c'est-là cette source perpétuelle de corruption, qui a augmenté, qui continue d'augmenter, et qui a besoin d'être diminuée. Si l'intérêt général n'est pas l'objet de notre gouvernement, c'est, et il faut que ce soit, parce que la volonté générale ne gouverne pas.

______

(1) M. Burke a eu l'honneur d'être accusé, à cause de sa correspondance, pendant la guerre de l'Amérique avec ce grand homme, parce que c'étoit un *rebelle* !

On nous somme hardiment de produire
nos preuves ; on assure que nos plaintes
sont chimériques, et la conséquence de
l'excellence de notre gouvernement est
déduite de ses effets bienfaisans. Malheureusement pour nous , malheureusement pour notre patrie, ces preuves ne sont
que trop nombreuses et trop évidentes ;
nous les trouvons dans cette pyramide
de dettes qui nous fut *léguée* par des
guerres désastreuses , qui arrache déjà au
paysan quelque chose de sa misérable
pitance , qui a déjà puni l'industrie de
l'utile et honnête manufacturier , en lui
dérobant l'asyle de ses foyers , et le jugement par ses pairs , à laquelle la folie
de la chevalerie politique ajoute un mil-
lion pour chaque denier que l'éclat de la
charlatanerie ministérielle paye , et qui
menace nos enfans de convulsions et de
calamités , dont aucun siecle n'a fourni
le parallele. Nous les trouvons dans les
rôles infames & sanguinaires de statuts
intolérans qui souillent encore notre code ;
la liste en est si détestable , que s'il n'existoit d'autre monument pour faire voir ce
qu'étoit l'Angleterre dans le dix-huitieme

V 4

siecle, que son livre de statuts, elle paroîtroit encore plongée dans les ténebres
les plus épaisses de la superstition et de
la barbarie. Nous les trouvons dans l'exclusion de grands corps de nos concitoyens des emplois politiques, par des
sermens qui recompensent la fourberie,
et punissent la probité, qui profanent les
rites de la religion qu'ils prétendent respecter, et qui usurpent la domination
du dieu qu'ils professent de révérer. Nous
les trouvons dans la corruption toujours
croissante de ceux qui administrent le
gouvernement, dans la vénalité d'une
chambre des communes qui n'est plus
qu'une chambre incommode et dispen-
dieuse pour enregistrer les édits minis-
tériels — dans l'augmentation d'une noblesse dégradée par la profusion et la prostitution des honneurs, parvenues à un tel
point, que les partisans même les plus
zélés de la démocratie lui auroient épargné ce ridicule. Nous les trouvons sur-
tout dans les progrès rapides que l'on a
faits pour réduire au silence le grand
organe de l'opinion publique, la *presse*,
qui est le véritable contrôleur des minis-

tres et des parlemens , qui pourroient sans
cela fouler aux pieds avec impunité les
formalités impuissantes qui sont le rempart prétendu de notre liberté. Le contrôle mutuel, l'équilibre bien balancé des
différentes branches de notre législature
ne sont que les visions de politiques théoriques , ou les prétextes de politiques pratiques. Ce n'est pas un gouvernement de
balances , mais un gouvernement de conspiration — conspiration qui ne sauroit
être réprimée que par l'énergie de l'opinion publique.

Ce ne sont pas là des maux imaginaires , des appréhensions chimériques. Ce
sont les tristes & sérieuses réflexions des
gens les plus honnêtes et les plus éclairés
du royaume ; & elles ne sont pas allégées
par la sûreté tranquille et l'espece d'apathie dans lesquelles le peuple paroît en-
dormi. — *Summum otium forense non
quiescentis sed senescentis civitatis.* C'est
dans ce fatal état que les hommes sont
assez avilis et assez abrutis pour passer
tranquillement dans l'esclavage. C'est alors
que l'on peut bien dire avec vérité que
l'ame d'un pays est tuée. Les admira-

(314)

teurs des principes des révolutions en appellent naturellement à tous les citoyens grévés et éclairés pour leur faire considérer la source de leur oppression. Si des lois pénales sont suspendues sur les têtes de nos freres catholiques (1), si des actes de *test* (2) outragent nos concitoyens protestans, si l'on souffre encore en Ecosse les restes de la tyrannie féodale, si la

----

(1) Aucun corps d'hommes, dans aucun Etat qui prétend à la liberté, n'a jamais été opprimé avec autant d'insolence que les *catholiques* d'Irlande, qui font la MAJORITÉ du royaume. Leur cause a dernièrement été plaidée par un avocat éloquent, dont les vertus auroient certainement pu avoir quelque influence sur mes éloges, comme un tribut dû à l'amitité, si son génie ne m'avoit pas forcé de les lui accorder, comme un tribut dû à la justice. Je m'apperçois qu'*il* conserve encore beaucoup de cette *admiration* que *nous* partagions en commun, par ces citations classiques touchant M. Burke.—

Soli quippe vacat, studiisque, adiisque carenti
Humanum lugere genus . . . . .

Voyez « LES INTÉRÊTS CONSTITUTIONNELS DE L'IRLANDE, PAR RAPPORT AUX LOIS SUR LES PAPISTES ». Part. IV. Dublin, 1791.

(2) Tel est un serment que l'on exige de tous ceux qui sont employés dans le gouvernement, pour prouver qu'ils sont de l'Eglise anglicane.

presse est enchaînée, si notre droit d'être
jugés par nos pairs est abrégé , si nos
manufactures sont proscrites & fouragées
par des commis, la cause de toutes ces
oppressions est la même. C'est qu'il n'y
a aucune branche de la législature qui
représente le peuple ; les hommes sont
opprimés, parce qu'ils n'ont aucune part
à leur propre gouvernement. Que toutes
ces classes de citoyens opprimés fondent
leurs griefs locaux & partiels en une
grande masse ; qu'elles cessent de supplier
pour leurs droits, ou de les réclamer
en mendians , comme une concession
précaire de la pitié arrogante des usurpateurs. Tant que la législature n'expri-
mera pas leur volonté, elle les opprimera.
Qu'elles se réunissent pour se procurer
une telle réforme dans la représentation
du peuple qu'elle rende la chambre des
communes véritablement leur représentant. Si en bannissant toute vue étroite
d'obtenir leurs fins particulieres , elles
s'unissent pour ce grand objet, elles réus-
siront. Les efforts coopérans de tant de
classes de citoyens , doivent nécessairement faire sortir la nation de sa léthargie ,

et sa voix se fera entendre de maniere à faire obéir les gouverneurs vertueux et à faire trembler les tyrans. Il est impossible de supposer l'existence d'une perversité assez insolente pour affecter de mépriser la voix de la nation, si elle s'étoit clairement fait entendre.

Cette réforme tranquille et légale est l'objet final de ceux que M. Burke a si violemment attaqués. En effet elle seroit suffisante. Le pouvoir du roi & des pairs n'a jamais été formidable en Angleterre, sinon par les discordes qui se sont élevées entre la chambre des communes & ses prétendus constituans. Si cette chambre devenoit véritablement le véhicule de la voix populaire, les priviléges des autres corps, en opposition aux vœux du peuple et de ses représentans, seroient comme un grain de sable dans la balance. Cette amélioration capitale produiroit naturellement toutes les réformes subalternes. Nous ne songeons pas à autre chose, & en faisant cette réclamation, au lieu de mériter l'imputation d'être des apôtres de la sédition, nous croyons avoir droit à être regardés comme les amis les plus sinceres d'un gouvernement stable & tranquille. — Nous désirons d'éviter une révolution (1) par une réforme ; un bouleversement par un correctif. Nous donnons avis à nos gouverneurs de réformer, tandis qu'ils ont encore la force de le faire avec dignité et avec sûreté, & nous les conjurons de ne pas attendre le moment, qui arrivera *infailliblement*, où ils se trouveront obligés de supplier ce peuple, qu'ils oppriment & méprisent, de leur accorder une très-petite portion du pouvoir qu'ils possedent aujourd'hui.

Nous avouons que les griefs de l'Angleterre ne justifieroient pas actuellement un changement opéré par la violence ; mais ils font des progrès rapides vers cet état fatal, où non seulement ils pourront le justifier, mais même le produire. C'est parce que nous aimons sincerement la liberté tranquille, que nous voudrions

______

(1) Que les gouverneurs de tous les Etats comparent la convulsion que l'opiniâtreté du gouvernement excita en France, avec la réforme paisible et majestueuse que la sagesse de celui de Pologne a effectuée. Le moment est important, le dilemme inévitable, l'alternative terrible, la leçon très-instructive !

éloigner (1) le moment où la vertu et
l'honneur nous forceront à la chercher
à la pointe de l'épée. Ceux-là ne sont-
ils pas les vrais amis de l'autorité qui désirent, que tout ce qu'elle accorde « pa-
» roisse venir comme un don de sa bonté
» et de sa bienfaisance, plutôt que comme
» des droits recouvrés sur un gouverne-
» ment qui s'y oppose ? ou que si sa bien-
» faisance n'obtenoit aucun crédit par ses
» concessions, elles parussent au moins
» comme les provisions salutaires de la sa-
» gesse et de la prévoyance, et non pas
» comme des choses arrachées à force de
» sang par la main cruelle de la dure
» nécessité (1) ». Nous désirons que la
lumiere qui doit se répandre sur l'Angleterre passe « à travers des fenêtres
» bien faites et bien disposées, & non pas
» à travers des brèches et des ouvertures,

---

(1) *Manus hæc inimica tyrannis*
    Ense petit placidam sub libertate quietem. —

(2) Discours de Burke à Bristol, *pag.* 13.

» à travers les crevasses *baillantes* de no-
» tre ruine (1) ».

Tel étoit le langage de M. Burke dans
des circonstances à peu près semblables
à la présente, mais aujourd'hui il craint
et abhorre ceux qui ont la présomption
de donner de pareils conseils. Ils pensent
que « les tems présens sont favorables
» à tous les efforts que l'on pourroit faire
» en faveur de la liberté ». Ils le doivent
naturellement. Leur espoir dans cette
grande cause vient des voix réunies des
gens les plus éclairés. Le choc qui a renversé le despotisme de France, a dispersé
bien loin les nuages qui interceptoient
la raison du monde politique et moral ;
et nous ne pouvons pas supposer que
l'Angleterre soit le seul endroit que n'ait
pas atteint « ce déluge de lumiere » qui
vient de couvrir toute la surface de la
terre. — Nous pourrions aussi supposer
que les grands efforts des nations , que
nous avions long - tems regardées comme
ensevelies dans un esclavage désespéré ,
feroient sortir les Anglais de leur honteuse

____

(1) *Id.* pag. 15.

léthargie. Ainsi jusque - là nous sommes
pardonnables de penser que le moment
présent est particulierement favorable
pour faire des efforts pour la cause de
la liberté.

Rien cependant ne *sauroit* être plus
absurde que d'affirmer que tous ceux qui
admirent la révolution française, désirent
de l'*imiter*. Sous un point de vue, il y a
matiere à différentes opinions parmi les
amis les plus chauds et les plus sages de
la liberté, quant à la *portion* de démocratie adoptée dans le gouvernement de
France; sous un autre, et plus important
encore, on doit se rappeler que la conduite des nations doit varier selon les
circonstances où elles se trouvent placées.
— Les admirateurs aveugles des révolutions les prennent pour des modeles par-
faits. C'est ainsi que M. Burke admire
celle de 1688; mais nous, qui croyons
rendre l'hommage le plus pur aux auteurs
de cette révolution, non pas en maintenant ce qu'ils firent *alors*, mais ce qu'ils
feroient *à présent*, nous ne voyons aucune inconséquence à considérer la France,
non pas pour régler notre conduite sur

la

la sienne, mais pour fortifier l'esprit de liberté. Nous nous permettons de supposer comment Milord Somers, au milieu des lumieres du dix - huitieme siecle, auroit agi, et comment auroient fait les patriotes de France, dans la tranquillité et l'opulence de l'Angleterre. Nous ne sommes pas tenus d'imiter la conduite que ces derniers furent forcés de tenir par la banqueroute du trésor public et un gouvernement dissout, ni de conserver les établissemens qui furent épargnés par le premier dans un siecle de préjugé et de chevalerie. Il n'est pas nécessaire d'être imitateurs serviles. Nous révérons les principes qui ont présidé aux deux événemens, et nous adaptons à l'imitation politique une maxime reçue depuis long - tems dans les belles - lettres, que la seule imitation mâle et libérale est de parler comme un grand homme auroit parlé, s'il avoit vécu dans notre siecle, et s'il avoit été placé dans les mêmes circonstances.

Mais examinons la charge de M. Burke. Notre monarchie doit-elle être anéantie, » avec toutes ses lois, tous ses tribunaux, » toutes les anciennes corporations du

X

» royaume ? Toutes les marques des terres
» du royaume doivent-elles être effacées
» en faveur d'une constitution géométri-
» que et d'arithmétique ? La chambre des
» pairs doit-elle être inutile ? L'épiscopat
« doit-il être aboli » ? — Et en un mot, la
France doit-elle être imitée ? Oui ! si nos
gouverneurs imitent sa politique, l'Etat
doit suivre sa catastrophe. L'homme est
par-tout HOMME. — Les griefs étouffés
prendront vent à la fin, et l'orage des
passions du peuple ne trouvera que de
très-foibles barrieres dans l'imbécillité so-
lennelle des institutions humaines. Mais
qui sont les véritables amis de l'ordre du
gouvernement, de la prérogative du monarque, de la splendeur de la hiérarchie,
et de la dignité de la pairie ? Ceux certainement qui veulent persuader qu'empêcher une réforme , c'est exciter une
convulsion ; ceux qui avertissent les personnes à qui l'honneur, le rang, les di-
gnités, et les richesses sont chers, qu'elles
ne peuvent finalement les conserver qu'en
abandonnant, tandis que le moment des
concessions n'est pas encore passé, celles
qui tendent à épuiser les sources qui en-

tretiennent le torrent, au lieu d'opposer de foibles barrieres à sa course.

« Les commencemens de désordres sont » à présent assez foibles en Angleterre ; » mais nous avons vu chez vous une en- » fance encore plus foible acquérant à » chaque instant une force assez grande » pour entasser montagne sur montagne, » et pour faire même la guerre aux dieux. » — Quand la maison de notre voisin est » en flammes, il n'est pas mal de faire » un peu jouer les pompes sur la nôtre ». Ce langage, pris dans son sens le plus naturel, est précisément ce que les amis d'une réforme voudroient adopter. Chaque sombre teinte ajoutée aux horreurs de la révolution française par le pinceau tragique de M. Burke, est un nouvel argument en faveur de leurs prétentions, et ceux-là sont seuls ennemis de la noblesse et du clergé, et des autres corps d'hommes qui souffrent dans de pareilles convulsions, qui les excitent à des combats inégaux et désespérés.

Tels sont les sentimens de ceux qui savent admirer sans copier servilement les changemens récens, et qui savent réverer

les principes sans défendre superstitieu-
sement les reliques des anciennes révolutions.

« Je ne méprise pas , dit M. Burke ,
» les grands sentimens de liberté ; tout
» vieux que je suis , je lis encore avec
» plaisir les beaux ravissemens de Lucain
» et de Corneille ». Puisse cette vieillesse
vertueuse et respectable jouir long - tems
de pareils plaisirs. Mais pourquoi est-elle
indignée que ces sentimens ardens et ces
spéculations élevées aient passé des écoles
et du cabinet dans le sénat, et que , ne
servant plus « à enseigner une morale , ou
à orner un conte » , elles aient été intro-
duites dans les affaires et dans le cœur
des hommes. Le genie sublime que M.
Burke admire, et qui chanta les obseques
de la liberté romaine , exprime un sentiment que les amis de la liberté en Angleterre , s'ils sont comme lui obligés de
chercher chez l'étranger un gouvernement
libre , ne manqueront pas d'adopter —

. . . . . . *Redituraque nunquam*
LIBERTAS ultra Tigrim Rhenumque recessit ,
Et toties nobis JUGULO quæsita negatur !

SECTION VI.

Spéculations sur les conséquences probables de la révolution française en Europe.

Il n'y a peut-être qu'*un* seul point de la révolution française sur lequel ses amis et ses ennemis s'accordent. Ils conçoivent tous deux que son influence ne se bornera pas à la France ; ils prédisent tous deux qu'elle produira des changemens importans dans l'état général de l'Europe. C'est là le sujet de la joie de ses admirateurs, et la source des alarmes de ses détracteurs. Il seroit vraiment difficile de croire qu'une révolution si inouie eût lieu dans la plus célebre nation de l'Europe, sans étendre son influence dans toute la chrétienté ; liée, comme elle est, par une foule de relations politiques, par des intérêts communs de commerce, par la vaste communication de la curiosité et de la littérature, par les mêmes arts, et par des moeurs semblables. Les canaux par lesquels les sentimens qui prévalent en

France peuvent passer chez les autres nations de l'Europe, sont si visibles et si
nombreux, qu'il seroit inutile et ennuyeux
de les détailler ; mais parmi les plus osten-
sibles, on peut compter une situation centrale, un langage universel, une autorité,
pour ainsi dire, *législative* dans le cérémonial des liaisons ordinaires de la vie.

Ces causes, ainsi que plusieurs autres,
doivent faciliter l'effusion de la politique
de France chez toutes les nations voisines ;
mais on remarquera, avec beaucoup de
justesse, que ses effets dépendront principalement de la *stabilité* de la RÉVOLU-
TION. La suppression d'une *révolte honorable* fortifieroit tous les gouvernemens
de l'Europe ; la perspective d'une *révolution* brillante seroit un signal d'insurrection chez tous les sujets. Tout raisonnement sur l'influence de la révolution
française est donc censé prématuré, jusqu'à ce que sa permanence soit assurée.
Je suis pleinement convaincu de sa permanence ; mais je sens bien que, dans le
champ des prédictions politiques, où la
sagacité des vétérans (1) a si souvent été

____

(1) Témoin l'exemple mémorable d'HARRINGTON,

trompée , il me convient de n'admettre qu'avec méfiance , et de ne proposer qu'avec des doutes une conviction influée par un enthousiasme partial , et peut - être produite par l'ardeur , sans expérience de la jeunesse. Le moment où j'écris est très-critique (25 août 1791) ; les émigrés et leurs partisans parlent de l'invasion de la FRANCE comme très-prochaine ; et la confédération des despotes (1) est annoncée avec une nouvelle confiance ; mais malgré ces menaces, j'ai toujours mes doutes, et

---

qui publia une démonstration de l'impossibilité de rétablir la monarchie en Angleterre , *six mois* avant la restauration de Charles II. Les prophéties religieuses ont ordinairement *l'avantage* inestimable de n'avoir rapport qu'à un avenir fort éloigné.

(1) Les hostilités méchantes déployées par un prince perfide , qui occupe et déshonore le trône de GUSTAVE VASA , n'excitent pas notre surprise , quoiqu'elles puissent provoquer notre indignation. Le *pensionnaire* du despotisme français ne pouvoit pas se réjouir de sa destruction, et un monarque, dont les talens si vantés se sont jusqu'ici bornés au parjure et à l'usurpation, ne pouvoit pas manquer d'être fâché de l'établissement de la liberté ; car la liberté demande du génie, et non pas de l'intrigue ; de la sagesse, et non pas de la malice.

je ne sais pas si les intérêts discordans des cours de l'Europe pourront donner à cette alliance beaucoup d'énergie et de cordialité ; et si la prudence , jalouse des despotes , leur permettra d'envoyer leurs esclaves militaires à l'école de la liberté ; mais s'il existe des doutes sur la vraisemblance de l'entreprise , il n'y en a guere sur la probabilité de l'événement. L'histoire rapporte la conquête de plusieurs tribus obscures , dont la valeur étoit animée par l'enthousiasme ; mais elle n'offre pas d'exemple où une force étrangere ait subjugué un peuple brave et puissant, animé par la passion la plus impérieuse qui puisse subjuguer le coeur humain (1). Tout ce qu'a fait le fanatisme , peut bien

---

(1) Qu'il me soit permis de faire voir comment les ancêtres d'une nation, actuellement accusée de ramper, ont été pénétrés de ce sentiment. Les nobles écossais, combattant pour leur liberté sous ROBERT BRUCE , parlerent ainsi au pape : » *Non pugnamus propter* » *divitias , honores , aut dignitates , sed propter* » *LIBERTATEM tantummodo quam* nemo bonus » *nisi simul cum vitâ amittit !* Ce sentiment n'étoit pas confiné aux *grands* ; car la même lettre déclare l'assentiment des communes : « TOTAQUE CÓMMUNITAS

être fait par une passion aussi violente ; mais moins passagere, parce qu'elle est sanctionnée par la raison et par la vertu. Les seuls effets d'une invasion dans l'état actuel de la France, seroient de ranimer le patriotisme, de faire taire le tumulte, et de bannir la division. Un peuple, abandonné à sa propre inconstance, a souvent repris le joug qu'il avoit secoué ; mais opposer des armes étrangeres à l'enthousiasme d'une *nation*, ne sauroit avoir d'autre effet que de lui inspirer plus d'ardeur, plus de constance, et plus de force. Ces vues, et d'autres semblables, doivent naturellement se présenter à tous les cabinets de l'Europe ; mais peut - être se

---

» REGNI SCOTIÆ » ! En réfléchissant sur les différentes fortunes de mon pays, je ne puis bannir de mon esprit une comparaison entre sa réputation présente et notre ancien caractere. == « *Terrarum et libertatis* » *extremos* » ; == Et je ne puis non plus oublier l'honorable reproche fait au nom écossais, dans la personne de BUCHANAN, par THUANUS, qui dit de cet illustre écrivain : « *Libertate* GENTI INNATA *in re-* » *gium fastigium accibior* ». Ce triste souvenir est cependant soulagé par l'espoir qu'un peuple brave et éclairé ne tardera pas à renouveler l'*époque* de pareils reproches.

trouvent-ils si particulierément situés , que les efforts et l'inactivité sont également dangereux. S'ils ne réussissent pas dans leur tentative d'étouffer la liberté naissante de la France, leurs efforts inutiles *retomberont* sur leurs propres gouvernemens , et hâteront leur destruction. S'ils souffrent patiemment qu'on établisse une école (1) de liberté dans le *centre* de l'Europe, ils doivent prévoir les armées d'ennemis qui en sortiront pour renverser leur despotisme.

Ils ne sauroient être aveuglés sur une

______

(1) Les matériaux les plus importans pour la philosophie de l'histoire , sont tirés de remarques sur la *coïncidence* des situations et des sentimens de périodes éloignées ; et il sera aussi curieux qu'instructif pour le lecteur de voir les raisons par lesquelles les CALONNES DE CHARLES I tâchoient d'éveiller la jalousie , et de solliciter l'assistance des cours de l'Europe. « Une » combinaison dangereuse des sujets de sa majesté a « formé le projet de détruire la monarchie et la forme » de gouvernement. = Cela sera un dangereux *exemple* » pour toutes les MONARCHIES de la chrétienté , si elle » réussit dans ses desseins ».

Instructions de Charles I à son ministre en Danemarck. MÉMOIRES DE LUDLOW , tom. III , pag. 257.

espece de danger que l'histoire de l'Europe leur révele en caracteres lisibles. Ils
voient que les négociations , les guerres ,
et les révolutions de la politique ordinaire
passent sans laisser derriere elles aucun
vestige de leur opération passagere et ignominieuse. Mais ils doivent remarquer qu'outre cette *scélératesse monotone* , il est
des circonstances où l'Europe , mue par
la *même* passion , a paru ne faire qu'*une*
nation. Quand une association de nations
est tellement compacte , qu'elle ressemble
à la réunion des provinces du même Etat,
il est impossible d'éviter que les sentimens
se propagent ; et les annales de l'Europe
offrent assez de preuves de ses effets. La
religion excita et dirigea l'esprit de chevalerie ; de là vinrent les *croisades*. « On
» toucha une corde extrêmement délicate;
» et la vibration se fit sentir jusqu'au coeur
» de l'Europe » (1). De même la réforme
donna lieu à des guerres religieuses , dont
la durée excéda un siecle et demi. Ces
deux exemples prouvent l'existence de
cette *sympathie*, par le moyen de laquelle

----

(1) Gibbon.

une grande passion, qui prend naissance dans un Etat considérable de l'Europe, doit circuler dans tout le monde chrétien. L'illusion cependant est passagere, mais la vérité est immortelle. Le fanatisme épidémique des tems passés ne fut pas de longue durée ; car il ne pouvoit fleurir que pendant l'éclipse de la raison. Mais le vertueux enthousiasme de la liberté, quoiqu'il soit aussi contagieux que ce fanatisme, n'est pas aussi passager.

Outre la facilité avec laquelle nous avons vu une passion commune se répandre dans l'Europe, il y a d'autres circonstances qui nous font croire que l'exemple de la France aura une grande influence sur les sujets des autres gouvernemens. *Les gouvernemens gothiques de l'Europe ont fait leur tems.* C'est fini pour toujours ! C'est la sage exclamation de M. Hume. La nature ne prescrit pas des bornes moins rigoureuses à l'âge des gouvernemens, qu'à celui des individus. Soit que cela provienne de notre inconstance ou de notre sagesse, de l'inflexibilité ou de l'imperfection de nos institutions, ou de l'opération combinée de ces différentes causes, il est cer-

tain que la vaste plaine de l'histoire nous
découvre avec autant de clarté l'enfance,
la virilité, la décadence, et la dissolution
des gouvernemens, que la vue étroite de
l'expérience personnelle découvre les progrès et la mort d'un simple individu. Les
gouvernemens militaires de la Grece firent
place à un corps de républiques. Ces républiques furent à leur tour englouties
par les conquêtes des romains. Ce grand
empire lui - même passa par différentes
formes de gouvernement. Les premiers
usurpateurs donnerent au leur un costume
républicain. Leurs successeurs leverent le
masque, et avouerent un despotisme militaire. L'empire expira enfin dans la foiblesse pompeuse d'une monarchie asiatique (1). Il fut détruit par des barbares,
dont les rudes institutions et les moeurs
sauvages ont jusqu'ici influé sur l'Europe,

____

(1) Voyez ces progrès marqués par la philosophie
concise de Montesquieu, et développés par la féconde
éloquence de Gibbon. Le déguisement républicain s'é-
tend depuis *Auguste* jusqu'à *Sévere.* Le despotisme
militaire, depuis *Sévere* jusqu'à *Dioclétien.* La pompe
asiatique, depuis Dioclétien jusqu'à la chute totale de
l'empire romain.

avec une permanence refusée à des lois plus sages et plus douces. Mais à moins que l'analogie de l'histoire ne soit entierement trompeuse, la *mort* des gouvernemens gothiques ne peut pas être éloignée. Il y a long-tems qu'ils ont passé la maturité, et les symptômes de leur décrépitude augmentent avec une rapidité inconcevable. On peut douter s'ils seront remplacés par des gouvernemens plus avantageux ou plus nuisibles ; mais nous sommes autorisés à c roire qu'ils doivent bientôt périr, par l'âge ordinaire auquel les gouvernemens, dont l'histoire fait mention, sont parvenus.

L'analogie historique nous fournit encore d'autres présomptions, qui favorisent la supposition que des *gouvernemens législatifs* vont bientôt succéder aux rudes usurpations de l'Europe gothique. Les républiques, qui, dans les sixieme et septieme siecles avant l'ere chrétienne, avoient été élevées sur les ruines des monarchies *héroïques* de la Grece, sont peut-être les seuls exemples des gouvernemens *législatifs* dont l'histoire fasse mention. Une attention sérieuse nous découvrira peut-être quelque coïncidence entre les circonstances qui formerent ces gouvernemens et celles qui influent actuellement sur l'état de l'Europe. Les colonies phéniciennes et égyptiennes ne furent pas, comme nos colonies de l'Amérique, assez nombreuses pour subjuguer ou extirper les sauvages naturels de la Grece. Elles furent cependant assez nombreuses pour les instruire et les civiliser. Ce n'étoit que de là qu'elles tiroient leur pouvoir. C'est donc vers ce but qu'elles dirigerent leurs efforts. Inculquant les arts et les connoissances des nations civilisées à de rudes tribus, elles s'acquirent, par la simple supériorité de leurs lumieres, une soumission nécessaire à l'objet de leur législation ; soumission que les imposteurs acquierent par la superstition, et les conquérans par la force. L'âge de la législation suppose une grande inégalité de connoissances entre les législateurs et ceux qui reçoivent leurs institutions. Les colons asiatiques, qui jeterent les premieres semences de la civilisation, avoient cette supériorité sur *les hordes pélagisques* ; et les législateurs qui, dans des périodes subséquentes, organiserent

les républiques de la Grece, avoient acquis, par leurs voyages dans les Etats
policés de l'Orient, cette réputation de
supériorité dans les sciences, qui les mit
en état de dicter des lois à leurs concitoyens. Comparons donc l'Egypte et la
Phénicie, avec la partie éclairée de l'Europe, aussi éloignée de la masse générale,
par la différence *morale* d'instruction, que
ces pays-ci le sont de la Grece, par les
obstacles *physiques* qui empêchoient une
ignorante navigation : et nous découvrirons que lorsque les philosophes deviennent législateurs, ce sont des colons d'un
pays éclairé, qui réforment les institutions des tribus barbares. Le moment actuel ressemble vraiment, avec une exactitude surprenante, au siecle législatif de
la Grece. La multitude a acquis assez de
connoissance pour savoir apprécier la supériorité des gens éclairés ; et elle conserve une assez grande conviction de son
ignorance, pour l'empêcher de se révolter
contre leurs décrets. Voilà précisément la
situation où l'esprit humain est également
préparé, par le discernement et par la dé-
férence pour la législation. C'est là précisément

sément l'état actuel de l'Europe. Les philosophes ont long-tems été une nation distincte au milieu de la multitude ignorante. Ce n'est que d'aujourd'hui que la conquête de la presse étend la domination de la raison, comme les vaisseaux de *Cadmus* et de *Cecrops* ont répandu les arts et la sagesse de l'Orient chez les barbares pélasgiques (1).

Ces causes générales, l'*unité* de la république de l'Europe, la *décrépitude* où sont tombés ses gouvernemens *fortuits*, et la ressemblance entre notre siecle et la seule période de l'antiquité où l'ascendant de la philosophie ait dicté des lois, nous donnent lieu d'espérer que la liberté et la

---

(1) Le sujet de cet argument demande un plus grand éclaircissement. Des philosophes profonds ont même douté de l'existence de la législation grecque. Aucun juge compétent ne refusera certainement cette épithete au PROFESSEUR MILLAR. Mais je réserve pour un tems plus commode ce sujet important, et plus particulierement la ressemblance entre le siecle législatif de la Grece, et la situation actuelle de l'Europe, afin de pouvoir faire des réflexions et des recherches qui puissent me mettre en état d'argumenter avec plus de force, et de décider avec plus de confiance.

Y

raison réjailliront rapidement de la France qui est leur source. Mais il ne manque pas de symptômes de probabilité de leurs progrès pour justifier cette spéculation. Les premiers symptômes qui indiquent une maladie contagieuse sont les précautions que l'on prend pour s'en préserver. Les premiers indices de la probabilité des progrès des principes français , sont les alarmes des despotes. Les *cours* de l'Europe semblent avoir les yeux fixés sur la France, & s'écrier dans leur désespoir :

Hinc POPULUM late REGEM belloque superbum

Venturum excidio Libiæ . . . .

Les cours de l'Europe ont de différentes manieres rendu l'hommage de leurs craintes à la révolution française. Le roi d'Espagne semble déjà trembler pour son trône , quoiqu'il soit élevé sur les fondemens solides de l'ignorance publique et de la *prétrocratie*. En chassant de chez lui les étrangers , et en soumettant l'entrée des voyageurs à des restrictions si multipliées , il cherche la conservation de son despotisme , mais c'est en vain qu'il veut convertir son royaume en une *bastille*, et exclure ses sujets de la république de l'Europe. Il est vrai que le gouvernement chinois a ainsi maintenu sa permanence, mais il est plus isolé par la *nature* que par la *politique*. Que la cour de Madrid rappelle ses ambassadeurs, qu'elle ferme ses ports, qu'elle abandonne son commerce, qu'elle brise tous les liens qui l'unissent à l'Europe ; les effets d'une politique aussi imbécille seront ceux de toute rigueur inefficace, (et toute rigueur qui ne va pas jusqu'à l'extirpation, devient dans ce cas inutile) d'exciter la réflexion, d'encourager les recherches, d'aggraver les mécontentemens, et de préparer des convulsions. —*Il n'y a plus de Pyrénées*, dit Louis XIV à l'avénement de son petit-fils au trône d'Espagne. *Il n'y a plus de Pyrénées*, s'écrient les hommes d'Etat alarmés d'*Aranjuez* pour empêcher notre despotisme d'être consumé par le soleil de la liberté.

Les alarmes du pape pour les tristes restes de son autorité augmentent naturellement avec la probabilité de l'effusion des principes français, même les aristocraties douces et modérées de la Suisse semblent appréhender l'arrivée de cette époque, où les hommes ne seront pas satisfaits d'être redevables des bienfaits de leur gouvernement au caractere éventuel de leurs gouverneurs, mais voudront les devoir à l'excellence intrinseque de sa constitution. Même les efforts malheureux des *Liégeois*, & l'insurrection *théocratique* du *Brabant*, ont laissé derriere eux des traces d'un parti patriote, qu'un moment plus favorable appellera sans doute à des essais plus heureux. La cour despotique de la Haye laisse échapper des appréhensions que la république d'Hollande ne revienne encore sur l'eau. Le gouvernement du *Stathouder*, qui n'est soutenu que par la terreur d'armées étrangeres, craint naturellement la destruction d'un gouvernement odieux et insupportable à une vaste majorité de la nation.

On apperçoit donc par-tout ces alarmes, qui sont les symptômes les plus évidens de la chute prochaine des despotismes de l'Europe. Mais l'impression que produisit la révolution française en Angleterre, pays éclairé, qui se vante depuis long-tems de sa liberté, mérite plus

particulierement notre attention. Avant
la publication de l'ouvrage de M. Burke
le peuple n'étoit pas encore recouvré de
la surprise où le plongent ordinairement
les événemens sans exemple , et il auroit
été impossible de pouvoir recueillir avec
précision l'opinion générale. Mais cette
production divisa la nation en partis
marqués. Elle occasionna une controverse que l'on peut regarder comme l'instruction du procès de la révolution française devant le tribunal éclairé et indépendant du peuple anglais. Je n'aurai pas
la présomption de décider quel a été
son jugement (1) ; car il n'appartient pas
à un avocat d'annoncer la décision du
juge. Il me sera cependant permis de re-

---

(1) Ceux qui doutent que M. Burke ait rendu service
à sa cause , liront peut-être avec plaisir ce passage de
MILTON. — « Magnam à regibus iniisse te gratiam
» omnes principes et terrarum dominos demeruisse de-
» fensione hâc regiâ te forte putas Salmasi ; cum illi
» si bona sua, remque suam ex veritate potiùsquam ex
» adulationibus tuis vellent æstimare neminem te pejus,
» odisse, neminem à se longius abigere , atque arcere
» debeant. Dum enim regiam potestatem in immensum
» extollas, admones eâdem operâ omnes ferè populos

marquer que la conduite de nos ennemis
n'a pas été semblable au triomphe ordinaire de ceux qui ont été vainqueurs
dans la guerre de la raison ; au lieu de
ce calme triomphant qu'inspire toujours
la conviction de la supériorité , ils
ont laissé paroître l'amertume de la
défaite , et la fureur du ressentiment qui
est particuliere à la noire vengeance de
l'imposture dévoilée. La *Prétrocratie* et
le *Toréisme* ne furent défendus que par
des avocats de la plus misérable description (1), mais ceux-ci furent amplement
soutenus par des auxiliaires d'un autre

» servitutis suæ nec opinatæ ; eoque vehementiùs im-
» pellis ut veternum illum *quo se esse liberos inaniter*
» *somniabant* repentè excutiant ».

Milton , *Def. pop. Anglic. apud Opera* , tom. II,
pag. 266 , édit. Lond. 1738.

(1) Un docteur Cooper , et un docteur Tatham,
ne sont sans doute pas assez fats pour s'imaginer , que,
même leur titre d'académiciens , puisse leur procurer
la lecture des gens sensés , ou que cela suffise pour
les réfuter. L'insolence de ce dernier pédant lui a , à la
vérité , presque mérité l'honneur d'une correction , qui
l'auroit à jamais dégoûté de toute controverse politique.

genre ; par les deux grandes classes d'ennemis des réformes politiques. — Les gens
INTÉRESSÉS et les gens à PRÉJUGÉS. —
L'activité des premiers supplée ordinairement au manque de talens des derniers (1).
Les juges oublierent la dignité de leurs
fonctions , les prêtres la douceur de leur
religion ; le barreau qui auroit dû parler

(1) HELVÉTIUS les a fort bien décrites toutes deux.
« Entre ceux-ci , il en est qui , naturellement portés
» au vrai , ne sont ennemis des vérités nouvelles , que
» parce qu'ils sont paresseux , et qu'ils voudroient se
» soustraire à la fatigue d'attention nécessaire pour les
» examiner.

» Il en est d'autres qu'animent des motifs dangereux ,
» et ceux-ci sont plus à craindre ; ce sont des hommes
» dont l'esprit est dépourvu de talens et l'ame de vertus ;
» incapables de vues élevées et neuves , ces derniers
» croient que leur considération tient au respect imbé-
» cille ou feint , qu'ils affichent pour toutes les opi-
» nions et les erreurs reçues ; furieux contre tout homme
» qui veut en ébranler l'empire , ils ARMENT *contre*
» *lui les passions et les préjugés* mêmes qu'ils MÉPRI-
» SENT , et ne cessent d'effaroucher les foibles esprits
» par le mot de *nouveauté* » !

Il faut que quelque COMMENTATEUR de WARWICK-
SHIRE commente ce dernier passage.

Y 4

avec la modération calme de la justice ; la chaire, d'où devoit seulement sortir la parole consolante de la charité, furent prostitués à des vues de parti, et pollués par des invectives contre la liberté ; les églises retentirent d'un langage dont *Laud* auroit été effrayé, et dont *Sacheverell* auroit rougi ; on fit sans honte les comparaisons les plus profanes entre les devoirs envers l'Etre suprême et les devoirs envers les rois ; les serviteurs de la divinité mêlerent, même dans son temple, les flatteries des ministres aux solemnités de la religion. Ces actions perverses ne se bornerent pas à un seul endroit ; elles furent générales dans toute l'Angleterre. Dans plusieurs églises on y *nomma même expressément* la révolution française ! Dans un grand nombre, elle fut un sujet constant d'invectives avant le jour où on devoit en faire la commémoration. Et cependant voilà ces paisibles pasteurs qui blâment si sincerement, et avec tant de douceur, les sermons politiques (1).

––––––––––

(1) Ce ne sont pas là de vagues accusations. On prêcha, dans une église paroissiale de *Midelesex*, le

Cela ne fut pas jugé suffisant. Comme les invectives politiques ne faisoient que peu d'impression sur l'esprit grossier du peuple, on crut devoir l'exciter et le mettre en mouvement par le fanatisme religieux, qui est la plus féroce et la plus intraitable de toutes les passions. On fit revivre une clameur qui étoit oubliée depuis un demi-siecle. L'ÉGLISE *étoit en danger !* On excita artificieusement l'esprit de persécution contre une secte peu populaire, et on voulut écraser, sous le nom de non-conformistes, les amis de la liberté, qu'il auroit été odieux et dangereux d'attaquer sous leur caractere réel. Leurs ennemis savoient très-bien que la majorité des partisans de la révolution française n'étoit pas composée de non-conformistes; ils savoient bien que c'étoient des philosophes et des amis de l'humanité

---

jour de l'anniversaire de la restauration de CHARLES II, un sermon dans lequel on *dénonçoit* LA DAMNATION ÉTERNELLE contre ceux qui ne seroient pas *bien* ATTACHÉS AU GOUVERNEMENT ! Des gens, du discernement, et de la véracité desquels je puis répondre, étoient du nombre des auditeurs indignés de cette infernale homélie.

au-dessus de la croyance d'aucune secte, et indifférens aux *dogmes* de la foi populaire. Mais il convenoit à leurs desseins pervers de les confondre avec des non-conformistes, et d'exciter contre eux la fureur de préjugés qu'ils méprisoient eux-mêmes.

L'effusion de ces invectives produisit ces effets évidens et inévitables, qu'il faudroit être imbécille pour ne pas croire prévus et désirés. Plusieurs brigands, excités d'avance, comme ils furent excusés et même loués après, par des libellistes incendiaires, assouvirent leur vengeance sur un PHILOSOPHE, célebre par ses talens et par ses écrits, respectable par la pureté de sa vie, et aimable par l'innocente simplicité de ses moeurs. Les excès de cette populace de *champions pour l'église et la royauté*, ne sont que foiblement expiés par quelques malheureuses victimes sacrifiées à la vengeance de la loi.

Ces faits n'ont cependant de rapport à notre sujet qu'autant qu'ils sont des preuves, de la part de nos ennemis, des progrès probables de la liberté. Ils servent tous à démontrer la probabilité de ces

progrès. Les brefs du pape, et les pamphlets de M. BURKE (1), les édits de la
cour d'Espagne, et les mandats de l'inquisition espagnole, les brigands de Bir-

____

(1) La seule chose qui ait l'air d'un argument, dans *les deux dernieres brochures* de M. Burke, c'est son raisonnement contre le droit d'une majorité pour changer la forme d'un gouvernement. Quelle que soit la plausibilité ou l'adresse de cet argument, on pourra mieux apprécier son *originalité*, en lisant le passage suivant d'un PHILOSOPHE PROFANE.

« Les controverses qui s'élevent touchant les DROITS
» du PEUPLE, ne viennent que de l'équivoque du mot.
» Le mot PEUPLE a *deux* significations. Dans un sens,
» il signifie un nombre d'hommes, distingués seulement
» par la place de leur habitation, comme le peuple
» anglais, le peuple français, qui ne sont autre chose
» que les individus particuliers qui habitent ces régions,
» abstraction faite de tout contrat et de tout pacte
» social. Dans un autre sens, il signifie un être civil,
» soit homme ou conseil, dans la volonté duquel est
» comprise et contenue la volonté de chaque individu.
» Ceux qui ne font pas la distinction de ces deux sens,
» attribuent ordinairement des droits à une MULTITUDE
» *éparse*, qui n'appartiennent qu'au PEUPLE, virtuelle-
» ment contenu dans le corps de la communauté ou de
» la souveraineté ».

Voyez les *Tripos* d'HOBBES, pag. 170 et suiv. édit. in-12. Lond. 1684.

mingham, et les gradués d'Oxford, rendent également à la LIBERTÉ l'hommage involontaire de leurs alarmes.

FIN.

TABLE

DES MATIERES

CONTENUES DANS CE VOLUME.

A

*A*DMIRATEURS de la révolution française ne désirent pas pour cela de l'imiter, pag. 320.

Affaire des 5 et 6 octobre, enveloppée d'un
voile impénétrable, p. 166.

Amis de la liberté ont eu tort de vouloir
citer des exemples de l'antiquité, p. 178.

Anglais admirateurs de la constitution
française juistifiés, p. 267 et *suiv.*

Aristocratie judiciaire, nécessité de sa
destruction, p. 92.

Armée, problême difficile de concilier une
armée de 150,000 hommes, une force
navale de cent vaisseaux, &c., avec
l'existence d'un gouvernement libre,
p. 260.

Assemblée nationale, considérations sur

sa composition et son caractere , p. 114. Tout le pouvoir entre ses mains , elle devient convention nationale , le manque de forme n'y fait rien , l'adhésion du peuple suffit , p. 52 et *suiv.* Devoit -elle réformer ou détruire l'ancienne forme de gouvernement , pag. 58 et *suiv.* En supprimant les titres, elle a suivi ses principes , p. 68. Ses motifs pour cette suppression, p. 71. Elle a dans son plan de constitution consulté l'expérience , p. 100. Elle a été forcée de s'emparer du pouvoir exécutif, p. 248.

Assignats nécessaires et convenables sous différens points de vue , p. 134 et *suiv.*

Avocats des différentes provinces n'étoient pas comme M. Burke les appelle , des procureurs de village , p. 116 et *suiv.*

B

Bastille , sa prise sera célebre dans les annales du monde , p. 159.

Buchanan , le premier homme de son siecle qui réunit l'élégance du style à la science profonde , p. 283.

Burke n'a pas mis de précision dans son ouvrage contre la révolution française ,

p. 13. Il renouvelle le cri des fanatiques du seizieme siecle, p. 85. Son erreur dévoilée au sujet d'une prétendue coalition entre les philosophes et les capitalistes, pour détruire la religion, et remplir leurs poches, p. 125. Fausseté de sa logique au sujet de l'homme dans l'état de société, p. 193. Ses erreurs sur la nature des corps qui doivent faire l'organisation des citoyens français, pag. 208. Ses erreurs sur les élections, p. 220. Sa colere contre les anglais admirateurs de la constitution française, p. 268. Son inconséquence par rapport à l'assertion du docteur Price, p. 269.

C

Calonne, son ouvrage plus méthodique que celui de M. Burke, p. 9. Son livre est un manifeste de contre - révolution, p. 10 et *suiv.* Il a lui-même aidé à prendre les biens des jésuites, pag. 85. Son tableau des finances contraire au rapport de M. la Rochefoucault, p. 132.

Chevalerie, son esprit alimenté par l'esprit militaire, pag. 64. Recherches sur son origine, p. 175.

Clergé, nécessité de la dissolution de ce corps, p. 73. Ce ne fut ni aux *Jacobins* ni au *Palais Royal* qu'il fut premierement dit que les biens du clergé appartenoient à la nation, p. 75. Les terres occupées par le clergé sont-elles la propriété de ses membres ? p. 76. Elles n'ont pas la moindre qualité des propriétés, p. 78 et *suiv*. Raisons qui les ont fait regarder comme des propriétés, p. 81. Le traité de Westphalie sécularisa plusieurs des plus opulens bénéfices d'Allemagne, pag. 84. L'Etat, quoique propriétaire, n'a peut-être le droit de s'en emparer qu'après la mort des possesseurs actuels, p. 86. Différentes liaisons du clergé avec le pouvoir civil à différentes époques, p. 89.

Confédération des despotes contre la France, annoncée avec une nouvelle confiance, mais très-peu à craindre, p. 327.

Conférence mémorable entre les pairs et les communes, en 1688, p. 290 et *suiv*.

Constitution française, défenses de ses principes théoriques, et de sa plus importante institution pratique, pag. 185. L'ancienne

L'ancienne ressembloit, dans son origine, aux autres gouvernemens gothiques de l'Europe, p. 16. Qui sera assez hardi pour assurer qu'il est impossible de faire une meilleure constitution que celles déjà connues? p. 99.

Cours de l'Europe ont rendu l'hommage de leurs craintes à la révolution française, p. 338.

D

Démembrement du royaume, son impossibilité selon l'organisation actuelle, pag. 212. Nécessité du changement des provinces en départemens pour l'empêcher, p. 214.

Distinctions personnelles, préférables aux titres héréditaires, p. 73.

Droit naturel, à quelle portion de ce droit l'homme renonce en entrant en société, p. 183 et *suiv*. Si les opinions de M. Burke étoient vraies, le langage des lois exprimeroit des *permissions*, et non pas des *restrictions*, p. 193 et *suiv*.

E

Elections de la France regardées comme un chef-d'oeuvre de sagesse législative,

Z

p. 219. Droit d'élection aussi susceptible d'être délégué que toute autre fonction civile , p. 222.

États généraux , assemblés à Versailles
le 5 mai 1789 , p. 33. Discussions sur
la vérification des pouvoirs , p. 34.
Changés en assemblée nationale , p.
39.

Excès populaires qui ont suivi et accompagné la révolution , p. 146. Leur différence des actes du corps législatif ,
p. 15. Ils ne sont rien en comparaison
du bien que la révolution doit produire,
p. 148. Ils ne sont rien en comparaison
de ce qu'il en coûta à la Hollande , à
l'Angleterre , et à l'Amérique , pour
obtenir leur liberté, p. 151. Les émigrés ont trompé l'Europe en amplifiant
ces excès, p. 154. Une partie de ces
excès excités par des brigands, qui con-
trefaisoient des ordres du roi et de l'assemblée pour brûler les châteaux, p.
161.

F

France, c'est avec beaucoup de sagesse
qu'elle a commencé sa régénération par
la déclaration des droits, p. 201. Etoit-

elle susceptible d'une constitution anglaise, p. 229. La France ne sauroit
être comparée à la Hollande, ni à la
Suede, ni à la Pologne, p. 256 et *suiv.*
Sa position centrale, son langage universel, &c., la mettent dans le cas d'étendre
son influence sur le reste de l'Europe,
p. 325.

G

Généalogie de la liberté absurde, p. 178
et *suiv.*

Gouvernemens, tous les gouvernemens
qui existent dans le monde, excepté
celui de l'Amérique, ont été formés par
le hasard, p. 104. Il étoit tems que les
législateurs tentassent une navigation
plus hardie, guidés par la boussole de
la raison, p. 106. Les hommes retiennent un droit à une partie de leur gouvernement, p. 192. Les gouvernemens
balancés n'ont jamais existé que dans
l'imagination des théoristes, p. 241 et
suiv. Ses bases les plus solides sont la
raison, p. 282. Gouvernemens gothiques de l'Europe ont fait leur tems,
p. 332. Gouvernemens législatifs vont
succéder, p. 334.

(356)

H

Hiérarchie d'élections suggérée par la nécessité, p. 225.

Hommes libres, non pas parce que leurs ancêtres l'étoient, mais parce qu'ils doivent l'être, p. 280. Opprimés parce qu'ils n'ont aucune part à leur propre gouvernement, p. 315.

I

Institutions politiques, leur examen, p. 202 et *suiv.*

Inviolabilité des rois constitionnelle, parce que leur responsabilité suppose la dissolution de la société, p. 277.

L

Législature, exclusion des ministres du roi désapprouvée, p. 246.

Liberté, quelle que soit la main qui l'établit, elle annonce les oracles de la divinité, p. 115.

Louis XIV, son règne injustement célébré comme le zénith des exploits militaires et de la littérature, p. 16 et *suiv.*

Louis XVI, son caractere, p. 39. Son discours à la séance royale; réflexions,

p. 41. Il donne ordre au clergé et à la noblesse de se joindre aux communes, p. 44.

Lumieres répandues rapidement par l'invention de l'imprimerie, p. 111.

M

Manœuvres des ennemis de la liberté en Angleterre, p. 344 et *suiv.*

Milton, persécuté par ses contemporains, p. 284.

Ministres de l'Eglise anglicane prêchent contre la révolution française, p. 345.

Mirabeau, sa réception en Provence, p. 29.

Monasteres, nécessité de leur abolition, p. 139.

Montesquieu, qui raisonnoit comme un philosophe du dix-huitieme siecle, étoit forcé de juger à Bordeaux comme un magistrat du quatorzieme, p. 110.

Morale, fondée sur une utilité générale, p. 197.

N

Necker, petit et pusillanime, p. 26.

Négocians, ont moins de préjugés que les propriétaires territoriaux, et ont soutenu la révolution **en Angleterre** comme en France , p. 124.

Noblesse , quarante - neuf nobles se rendent à la chambre des communes, p. 43. Nécessité de sa suppression en France , p. 62 et *suiv*. Sa dépendance de la couronne ; elle possede toutes les places , p. 64 et *suiv*. Différence d'avec la noblesse d'Angleterre , p. 232.

Notables , assemblés par M. de Calonne , p. 20. Dévoilent et font expulser ce ministre , p. 22. Assemblés de nouveau par M. Necker , p. 30.

O

Opinions de M. Burke n'ont trompé que les observateurs superficiels à son égard , p. 1. Son éloquence ne déplore pas le sort d'artisans à la mendicité ; il n'est touché que des chagrins des rois, p. 5.

Ordres , étoient-ils susceptibles de réforme en France, p. 58 et *suiv*. Leur vice étoit, dans l'essence, des institutions mêmes , qui étoient incompatibles avec la liberté, p. 95.

P

Paris se distingua dans la révolution par ses lumieres, liberté de la presse , p. 32.

(35g)

Se révolte, et prend la Bastille, p. 46
et *suiv*. Nécessité de la résidence du roi
dans cette capitale, p. 172.

Parlement de Paris, sa conduite, ses ré-
clamations, p. 23 et *suiv*.

Parti janséniste, formé dans les parlemens;
son influence sur la constitution civile
du clergé ; chose extraordinaire, p. 131.

Philosophie abstraite, est, à l'égard de la
Politique, ce que la Géométrie est à
l'égard des arts mécaniques, p. 107. Ses
vérités s'insinuent par des progrès lents
et assurés dans l'esprit du peuple, p. 111.

Poursuites d'Etat dans les pays libres, lan-
guissent dans des longueurs, ou se ter-
minent par l'indignation populaire , p.
306.

Pouvoir exécutif a autant de prérogatives
que la théorie l'exige, p. 249 et *suiv*.
Son initiative de paix et de guerre aussi
grande que celle du roi d'Angleterre,
si le parlement étoit moins corrompu,
p. 252.

Pouvoir des communes d'Angleterre de
refuser les subsides purement nominal,
p. 308.

Preuves des maux de l'Angleterre, p. 311.

Principes, leur inflexibilité plus nécessaire en politique qu'en toute autre chose,
p. 199.

Q

Questions à résoudre sur l'unité ou sur la
division du corps législatif, p. 227 et
suiv. Un simple corps législatif représentant, ou une constitution de pouvoirs
balancés, quelle est la meilleure forme
de gouvernement, p. 239 et *suiv*.

R

Réforme importante, impossible dans un
tems de tranquillité, p. 96. Tranquille et
légal objet final de ceux que M. Burke a
attaqués, p. 316.

Résistance, dans toute la France, aux vo-
lontés du gouvernement, p. 25.

Révolution, sa convenance et sa nécessité
en France, p. 13. Ce mot susceptible de
trois sens, p. 14 et *suiv*. Toute l'excellence, toute la liberté que l'on trouve
dans les gouvernemens, y a été infusée
par le choc d'une révolution, pag. 96.
Révolution française sans chefs, p. 115.
Révolution anglaise de 1688, mérite plus
l'attention du philosophe, par son influence indirecte sur les progrès des

opinions humaines, que par ses progrès directs sur le gouvernement d'Angleterre, p. 301 et *suiv*. Elle prépara les révolutions de l'Amérique et de la France, p. 303. Spéculations sur ses conséquences probables, p. 325.

Révolutionnaires anglais de 1688; contradiction entre leur langage et leur conduite, p. 273.

S

Société, au lieu de détruire l'égalité, la réalise, p. 190.

Soldats désobéissent par-tout aux ordres du despotisme, p. 47. Ils ne furent pas séduits, p. 49 et *suiv*. L'exemple des soldats français doit opérer chez toutes les nations du monde, p. 51. Soldats de ligne impuissans pour tout dessein dangereux, à cause de la force des gardes nationales, p. 190.

Somers (Milord), comment il auroit agi au milieu des lumieres du dix-huitieme siecle, p. 321.

Sydney, grand patriote anglais, persécuté. p. 285. Comparaison entre ses écrits et le langage du docteur Price; son procès, p. 299.

T

Titres ; les titres, dans l'origine, marquoient les charges, p. 68 et *suiv*. Titres inconnus dans les monarchies de l'Asie, et dans les républiques de l'antiquité, p. 69. Leur abolition en France , nécessaire à l'établissement de la liberté, p. 72.

Tories, enveloppés dans la révolution, p. 287.

E R R A T A.

Pag. 104, *lig.* 10, Etats-Unis, *lisez* des Etats-Unis.
Page 119, *lig.* 20, illusion, *lisez* effusion.

De l'Imprimerie de DEMONVILLE, rue Christine, n°. 12.

www.ingramcontent.com/pod-product-compliance
Lightning Source LLC
Chambersburg PA
CBHW051313060726

PP18533700001B/12